Journal intime I

Janice Harrell

Traduit de l'anglais par
Louise Binette

Les éditions Héritage inc.

Données de catalogage avant publication (Canada)

Harrell, Janice

Journal intime : la tentation

(Super frissons ; 1)
Pour les jeunes.
Traduction de : The Secret Diaries : Temptation.

ISBN : 2-7625-7929-5

I. Titre. II. Collection.

PZ23.H37Te 1995   j813'.54   C95-940721-9

The Secret Diaries -Volume I Temptation
Copyright © 1994 Daniel Weiss Associates, Inc., et Janice Harrell
Publié par Scholastic Inc., New York

Version française
© Les éditions Héritage inc. 1995
Tous droits réservés

Dépôts légaux : 3e trimestre 1995
Bibliothèque nationale du Québec
Bibliothèque nationale du Canada

ISBN : 2-7625-7929-5   Imprimé au Canada

LES ÉDITIONS HÉRITAGE INC.
300, rue Arran, Saint-Lambert (Québec) J4R 1K5
(514) 875-0327

FRISSONS™ est une marque de commerce des éditions Héritage inc.

Un

Cher journal,

Je ne suis pas certaine de vouloir te raconter ça, pas même dans notre langage secret. Ça peut sembler étrange que j'écrive mon journal en utilisant un code. Mais maintenant que j'ai quelque chose à cacher, je ne regrette pas d'en avoir pris l'habitude. J'aimerais pouvoir fermer les yeux, dormir et faire comme si rien ne s'était passé.

Pourtant, il faut que je le raconte à quelqu'un. Et à qui d'autre pourrais-je me confier ? Je n'ai pas des tonnes d'amis qui meurent d'envie d'entendre tous mes secrets. Qui meurent... C'est certainement le terme approprié, Annick.

Au moins toi, je sais que tu garderas le secret.

Tout a commencé lors de ma première journée à la polyvalente Émilien-Garnier...

—C'est la vérité ! Mélanie faisait ça avec Patrice

dans sa Géo, affirma d'un air sérieux une fille vêtue d'un anorak rouge.

— C'est impossible, protesta une fille au visage parsemé de taches de rousseur. On est bien trop à l'étroit dans une Géo !

— Arrête de m'interrompre ! Là où je veux en venir, c'est que les policiers ont braqué leur projecteur sur la voiture.

Le vent souffla et les fit frissonner. Elles se trouvaient sur le trottoir devant l'école.

— Comme ça devait être embarrassant !

Une fille délicate à la voix rauque enfouit ses mains dans les poches de son blouson.

— Je dirais plutôt humiliant. Et ce n'est pas ça le pire ! s'exclama la fille à l'anorak rouge. Les policiers leur ont ensuite demandé de présenter leur permis de conduire, puis ont dit à Mélanie qu'ils devaient avertir ses parents parce qu'elle était mineure !

— Il y a de nombreux sadiques dans la police, fit remarquer la fille aux taches de rousseur.

— Comment ça s'est terminé ? demanda la fille à la voix enrouée.

La fille à l'anorak haussa les épaules.

— Il y a eu un appel radio dans la voiture des policiers qui durent partir en trombe. Il devait y avoir une chasse à l'homme.

Je constatai que ces filles étaient tellement occupées à bavarder qu'elles risquaient de ne pas s'apercevoir de ma présence alors que je voulais seulement leur poser une question. Tout ce que je voulais savoir, c'était comment me rendre à mon cours de physique. Ce n'était pas grand-chose, mais je ne voulais pas commencer ma première journée dans cette nouvelle école en arrivant en retard. Je toussotai, mais la fille à la voix rauque ne remarqua pas ma présence.

— La police n'arrête pas de patrouiller dans le quartier depuis…

— Hé! on peut t'aider? me demanda soudain la fille à l'anorak rouge.

Elles se retournèrent toutes les trois en me dévisageant.

— Pourriez-vous me dire où se trouve le pavillon Champlain? demandai-je en rougissant.

— Je peux t'y conduire, répondit la fille à la voix rauque. J'y vais aussi.

— Merci!

— Tu es nouvelle?

Je fis signe que oui.

— Ton père a été muté ici?

Elle m'observait d'un air curieux tandis que nous marchions.

La dernière chose que j'avais envie de faire, c'était de raconter en détail ce qui m'avait amenée dans cette ville nouvelle.

— Je suis venue habiter chez mon père, répondis-je.

— Mes parents aussi sont divorcés, me confia la fille. C'est terrible, n'est-ce pas? Voilà le pavillon Champlain.

Les murs de brique du pavillon étaient inondés de soleil. Le long édifice s'étendait sur un terrain en pente et comptait deux étages à l'une de ses extrémités. Un groupe de garçons et de filles étaient assis sur le muret de brique bordant les marches, les jambes pendantes. L'un d'eux levait le visage vers le ciel. Il avait les cheveux blond cendré et portait un blouson d'aviateur. Il était trop loin pour que je distingue son visage, mais il avait appuyé le bras contre une colonne et s'étirait avec la grâce d'un chat. Je n'avais jamais vu quelqu'un d'aussi détendu. Deux autres garçons se trouvaient à ses côtés, mais je ne voyais que lui.

— Ne te fais pas d'illusions, me dit la fille en me voyant clouée sur place.

— Je pourrais peut-être faire leur connaissance.

Je n'avais pas conscience d'avoir parlé. Je pensais tout haut.

Ma compagne fit la grimace.

— Laisse-moi te dire une chose : cette bande n'est pas des plus amicales.

Je la regardai avec surprise tandis qu'elle fixait les garçons d'un air bizarre. Était-ce de l'envie ? De la pitié ?

— Et... commença-t-elle en baissant les yeux.

— Et ? insistai-je. Y a-t-il autre chose que je devrais savoir à leur sujet ?

— Autre chose que tu devrais savoir ? répéta-t-elle. Non, pas vraiment. Sinon qu'ils forment un clan très fermé. Écoute, je ne veux pas que tu aies une mauvaise impression de l'école. Oublie ce que je t'ai dit, d'accord?

— Qui c'est celui qui a les cheveux blonds? demandai-je.

Je me sentais irrésistiblement attirée vers lui. Il était séduisant, mais ce n'était pas la seule chose qui me fascinait en lui. Je crois que cela avait quelque chose à voir avec sa façon de bouger — comme s'il avait toute la vie devant lui et toute l'assurance du monde. J'étais dépassée, alors qu'il avait l'air tout à fait sûr de lui-même.

— C'est Robin Desparts, répondit-elle sèchement. Il te plaît?

Je haussai les épaules sans rien dire.

— Eh bien! tu vas perdre ton temps! dit-elle en éclatant de rire. Tu n'es pas son genre. Il ne faut pas te fier aux apparences; ces garçons ne sont pas comme tu les imagines.

— Oh! c'est vrai? dis-je pour l'encourager à poursuivre.

— Je parle trop.

Elle sourit.

— Et si je ne fais pas attention, tu seras en retard. Suis mon conseil: cette école est accueillante, mais tu ne dois pas ménager tes efforts. Inscris-toi vite aux différents clubs. C'est la meilleure façon de te faire des amis. Au fait, je m'appelle Sophie Voyer.

— Moi, Annick Ringuet, dis-je.

— Écoute, Annie, si je peux t'être utile, tu n'as qu'à m'appeler, d'accord?

— Annick.

Je corrigeai son erreur en vain, car elle avait déjà tourné les talons sans même me donner son numéro de téléphone.

Une école accueillante ?

Tu parles ! L'idée de devoir chanter dans une chorale pour me faire des amis me rendait malade.

J'eus l'envie soudaine de rebrousser chemin, de retourner à ma voiture et de m'en aller ; mais cela ne dura pas. Je restai debout à fixer les sacs vides et les mégots de cigarettes qui jonchaient la pelouse, car j'avais encore en mémoire le souvenir de ce que j'avais laissé derrière moi en venant ici.

C'était la troisième fois que je changeais d'école depuis le divorce de mes parents. Je fréquentais le collège Saint-Damien avant d'emménager chez mon père. C'était une école privée où je détestais les enseignants, qui maîtrisaient mal leur matière et croyaient que les biens terrestres n'avaient aucune importance quand on aimait Dieu. Les règlements au sujet de la tenue vestimentaire me causaient aussi de graves problèmes.

J'ai de longs cheveux blonds que j'aime mettre en valeur en portant des boucles d'oreilles, ce qui était strictement interdit au collège Saint-Damien. De plus, les uniformes de laine grise me démangeaient la peau et puaient la naphtaline.

Malgré cela, j'aurais sans doute pu supporter le collège jusqu'à la remise des diplômes. Hélas, le comportement de ma mère était devenu si bizarre, si inquiétant qu'il m'avait fallu lancer un appel de détresse à mon père.

Il y avait deux jours que j'étais arrivée chez lui. La première fois que je vis la polyvalente Émilien-Garnier — ses solides pavillons en brique, ses fenêtres larges et modernes dans lesquelles le soleil se reflétait, les élèves qui déambulaient en jeans et en chaussures de sport, et, enfin, Robin Desparts, qui était assis sur le muret —, elle me parut une école tout à fait normale. J'espérais y trouver ma place. Mais je ne pouvais m'empêcher de redouter l'avenir. La brise froide m'effleura, comme un signe prémonitoire de danger.

Deux

Finalement, ma première journée à la polyvalente Émilien-Garnier aurait pu être pire. Bien sûr, la seule personne qui m'a adressé la parole avait une voix de grenouille, mais ça ne pourra que s'améliorer, n'est-ce pas?

Je n'arrête pas de penser à ce garçon, Robin. D'accord, je sais que c'est idiot — je ne le connais même pas. Mais je me demande comment est sa voix. Qu'est-ce qu'il mange au déjeuner? Comment faire sa connaissance?

Je faisais de mon mieux pour m'adapter à ma nouvelle école, mais ce n'était pas facile. À cause du manque de casiers, je devais partager le mien avec une fille aux cheveux noirs et ébouriffés, noués très haut sur la tête et qui retombaient en cascade. Elle avait le teint pâle — elle mettait trop de poudre. Ses yeux étaient soulignés d'un large trait noir. Elle était vêtue de cuir noir de la tête aux pieds — pantalon, jupe, gilet, blouson. Si elle nettoyait ses dessous, ce qui est peu probable, elle le faisait sûrement avec du cirage noir.

Le deuxième jour, je la surpris à jeter mes livres par terre. Cependant, après un échange de vues des plus explicites, on en arriva à un compromis. Je parvenais à peine à ranger tous mes manuels et mes cahiers sur la minuscule tablette du haut tandis qu'elle monopolisait le reste du casier pour y fourrer ses chaussures de sport, ses livres et un mystérieux sac en papier dans lequel elle prétendait avoir son repas. Le casier sentait le gingembre, la lavande et l'écorce de pamplemousse. Il y avait aussi d'autres odeurs que je n'arrivais pas à identifier. Je soupçonnais qu'elles devaient provenir de substances illégales.

En plus de devoir partager mon casier, j'étais entourée de visages inconnus, de voix qui ne m'étaient pas familières et de nouveaux règlements. J'avais l'impression de regarder un film dont la projection avait déjà commencé et dont l'intrigue m'échappait.

Je n'avais pas oublié la bande de garçons et de filles que j'avais aperçus le jour de mon arrivée et je me sentais vaguement heureuse lorsque je croisais l'un d'eux dans le couloir. En quelques jours seulement, je pus identifier tous les membres du groupe : trois garçons et une fille.

Robin était le plus grand et le plus blond des quatre. Il y avait aussi un garçon et une fille qui se ressemblaient beaucoup. Je crus d'abord qu'ils étaient frère et sœur; puis un matin, je les vis s'embrasser dans une cage d'escalier mal éclairée. De toute évidence, ils formaient un couple. Ils avaient tous les deux les yeux noirs et doux et portaient des vêtements si amples — de grandes chemises, des pantalons bouffants, des chaussettes qui tirebouchonnaient — qu'on aurait dit qu'une sorcière en colère les avait rendus minuscules. Ils étaient étonnamment beaux, avec les pommettes hautes et le nez bien droit. J'appris que le garçon s'appelait Stéphane Granger et la fille, Vanessa Saint-Cyr.

Le quatrième membre du groupe, et le moins séduisant, était un garçon aux cheveux roux, plus petit que les autres et très pâle. On aurait juré qu'il ne mettait jamais le nez dehors. Il s'appelait Rémi Caron. J'avais entendu dire que c'était un génie de l'informatique.

Leur bande n'avait rien de tape-à-l'œil, mis à part la voiture de Robin, une Corvette d'un rouge brillant. Aucun d'entre eux ne cherchait à se faire remarquer. Malgré tout cela, je ne pouvais m'empêcher de penser à eux. Ils semblaient vivre dans un monde plus serein que le mien, un monde où personne ne s'en faisait, ne divorçait ou ne perdait la raison.

Maintenant que j'avais appris à les reconnaître, je les voyais partout: Robin, au volant de sa Corvette rouge, dérapant dangereusement à la sortie du stationnement de l'école et évitant de justesse une autre voiture tandis que Rémi Caron, l'air un peu malade, occupait le siège du passager ; Stéphane, Vanessa et Robin assis sur la pelouse devant l'école ; Vanessa, à l'extrémité d'un couloir du pavillon Champlain, interpellant Robin pour lui lancer un livre.

Le vendredi de ma deuxième semaine de cours, alors que je me dirigeais vers ma classe comme d'habitude, je constatai que je marchais contre le courant.

— Qu'est-ce qui se passe ? demandai-je à une fille en l'arrêtant.

— C'est le diaporama souvenir, répondit-elle.

Je n'avais aucune idée de ce qu'était un diaporama souvenir, mais je fis demi-tour et la suivis.

La salle était vaste et des chaises étaient disposées sur le plancher ; des professeurs se tenaient dans les allées avec les feuilles de présence. J'allai trouver mon professeur qui cocha mon nom sur la liste et pris ma place dans la file d'attente.

— On m'a dit que c'était le diaporama souvenir, dis-je à une fille aux cheveux crépus tandis que nous avancions. De quoi s'agit-il ?

Elle me regarda un moment d'un air interdit, comme si je venais d'une autre planète.

— Oh ! tu es nouvelle ! dit-elle. C'est une tradition, expliqua-t-elle pendant qu'on s'assoyait. On projette des diapos pour montrer tout ce qu'on a fait depuis le début de nos études secondaires. Ça peut paraître ridicule, mais c'est censé être drôle. On va voir de quoi on avait l'air il y a quelques années.

Sur la scène, debout devant un écran de projection, un garçon à la mâchoire carrée et à la musculature impressionnante tapota le micro. Un bruit strident se fit entendre.

— Un deux, un deux, dit le garçon d'une voix grave. Chers amis, c'est notre dernier semestre à Émilien-Garnier.

Des sifflements et des cris de joie résonnèrent.

— Je sais que nous sommes tous impatients de nous rappeler de bons souvenirs, poursuivit-il. Voici sans plus tarder votre diaporama souvenir.

Une trompette sonna. Les lumières baissèrent et un carré blanc lumineux emplit l'écran sur la scène. On entendit ensuite un déclic, puis une image floue, en couleurs, apparut. Une fois que le projectionniste eut mis l'image au point, je distinguai un groupe d'élèves devant l'école. J'entendis de la guitare et, à mon grand étonnement, je me rendis compte que Robin Desparts était assis sur un tabouret devant la scène. Cette partie de la scène n'était pas bien éclairée, mais je vis qu'une guitare était posée sur son genou gauche et qu'on avait placé un micro devant lui. Son visage était dans l'ombre, mais je n'eus aucun mal à le reconnaître. En le regardant comme ça sur la scène, j'eus l'impression d'être en train de l'épier à l'aide de jumelles. C'était un sentiment étrange d'intimité à sens unique. Je me sentais très proche de lui ; pourtant, il ne savait même pas que j'existais.

Le projecteur derrière nous fit un déclic et la diapo à l'écran changea ; cette fois, des élèves se tenaient devant des chevalets et barbouillaient des toiles avec de la peinture. Plusieurs diapos se succédèrent rapidement : des élèves assis sur la pelouse ; une mêlée au football ; un petit groupe de filles vêtues de robes de satin bouffantes, accompagnées de garçons à l'air hébété ; des élèves dans le couloir, dans la salle d'informatique, à la cafétéria. La salle bourdonnait, couvrant le son de la guitare qui servait de musique de fond. Tout le monde parlait, riait, évoquait ses souvenirs. Je ne pouvais malheureusement pas me joindre à eux.

Et comme je ne reconnaissais personne sur les diapos, je trouvai vite la projection ennuyeuse.

— Je pense que c'est de très mauvais goût, dit soudain d'un ton désapprobateur la fille assise à côté de moi.

Je levai les yeux vers l'écran en m'attendant à voir des élèves à demi vêtus ou agitant des canettes de bière, mais la diapo paraissait bien innocente : on y voyait deux filles en t-shirt et en short faisant des pitreries devant l'appareil photo. L'une d'elle tenait un tuyau d'arrosage. Il y avait des flaques d'eau sur le sol ainsi qu'une file de voitures à l'arrière-plan.

— C'est le « lavothon », dit quelqu'un.

La diapositive n'était pas très claire. Malgré cela, je constatai que la fille qui était à gauche et qui entourait affectueusement une fille petite et blonde était Vanessa Saint-Cyr. Le soleil était juste

16

au-dessus de sa tête et ses orbites ressemblaient à deux trous noirs, mais elle était quand même reconnaissable grâce à son menton parfait et à son joli petit nez. Tout à coup, je remarquai que la musique s'était arrêtée en même temps que le projecteur. Des élèves poussèrent des huées. La diapo des deux filles pencha sur un côté, puis se déplaça de haut en bas à l'écran.

— Zut! dit le garçon à ma droite. L'appareil est hors d'usage et on n'a même pas encore vu les meneuses de claque.

— On aurait dû retirer la diapo de Laurie, insista la fille aux cheveux crépus.

Le garçon se pencha au-dessus de moi comme si je n'étais pas là.

— Je ne vois pas pourquoi, dit-il. C'est une autre de tes idées stupides!

— Je trouve ça dégoûtant! On est peut-être en train de repêcher son corps des eaux du lac au moment où l'on se parle!

— Les plongeurs ont déjà fouillé le lac et n'y ont rien trouvé, imbécile.

Le garçon sourit d'un air méprisant.

— Ça montre bien que tu ne sais pas ce que tu dis. Laurie ne s'est pas noyée dans le lac. Et de toute façon, ce lavothon fait partie de notre histoire. Pas question de tout changer parce qu'une idiote s'est enfuie.

Le diaporama se poursuivait. On avait débloqué le projecteur et une image différente apparaissait à l'écran — des garçons portant des draps en guise de toges. Il devait s'agir du club de latin.

— Je me moque de ce que tu peux dire. Je trouve ça morbide, marmonna ma voisine de gauche.

— Tu veux parier que quelqu'un recevra bientôt une carte postale de Laurie ? demanda le garçon. Il faut toujours que tu dramatises, Jessica. Tout devient une tragédie avec toi.

— Chut !

Plusieurs personnes s'étaient retournées et le garçon se rassit au fond de son siège en mettant ainsi fin à la discussion. La diapositive suivante avait été prise lors d'une soirée de danse ; je fus stupéfaite de reconnaître la fille aux cheveux crépus et le garçon assis à ma droite en train de s'embrasser sous une sorte d'arbre fait de fleurs en papier. Surprise, je les regardai tour à tour. Ils étaient assis, silencieux et impassibles, les bras croisés sur la poitrine. Leurs mines stoïques étaient si semblables qu'on aurait pu les prendre pour des serre-livres.

Les diapositives se succédaient maintenant régulièrement tandis que Robin continuait à jouer de la guitare. Mais, bientôt, ce fut la fin. L'écran redevint blanc et le garçon à la mâchoire carrée s'avança sur la scène.

— C'était, chers amis, l'histoire de nos vies ! dit-il. Applaudissons bien fort notre projectionniste, Simon Bouchard !

Des huées s'élevèrent autour de moi, mais notre animateur demeura imperturbable.

— Sans oublier notre guitariste !

On dirigea un projecteur sur Robin. Saisi, il jeta un regard vers les coulisses. Il y eut quelques applaudissements. Robin se leva et disparut derrière le rideau.

— C'est bien Robin Desparts qui jouait de la guitare, n'est-ce pas ? demandai-je à la fille à côté de moi.

— Hein ?

Elle tourna vers moi son visage criblé de taches de rousseur.

— Oui. Tu le connais ?

— Pas vraiment, répondis-je.

— Il conduit une Corvette. Il en a de la chance ! J'aimerais bien que mes parents m'en offrent une.

Les élèves sortaient de la salle à la queue leu leu et je les rejoignis. Il me fallait trouver un moyen de faire la connaissance de Robin.

Pour ce qui était de mes cours, les choses ne se présentaient guère mieux. Je m'étais inscrite aux cours les plus difficiles dans le but de compenser la faiblesse du programme scolaire du collège Saint-Damien. Je n'avais pas suivi les cours préalables et lorsque l'école recevrait la copie de mon relevé de notes, on s'apercevrait que je n'avais suivi que des cours du genre «Comment prendre des décisions» ou «Le rôle de Dieu dans l'histoire». En revanche, j'apprenais très rapidement et je lisais beaucoup ; j'espérais donc qu'on me laisserait tenter ma chance. Sous des apparences de douceur dormait en moi l'âme d'un pilote kamikaze dont la mission consistait à augmenter ma moyenne générale.

Puisque je ne connaissais encore personne et que mon père passait son temps à courir le jupon, je pouvais me consacrer entièrement à mes études. Samedi matin, je me rendis à la bibliothèque municipale dans la rue des Oliviers. Pendant que je remplissais une fiche d'inscription, je me retournai et repérai Rémi Caron et Robin Desparts dans la salle à côté.

Robin était assis à une table dans un passage en voûte et lisait; un présentoir de livres de poche se trouvait d'un côté de la table et l'étagère des nouvelles parutions, de l'autre. Je ne l'avais jamais vu d'aussi près, et soudain il me parut presque accessible. Si j'éternuais, il allait sûrement me remarquer. Pour la première fois, je regrettai de ne pas souffrir d'allergies. Robin était assis de côté, le coude appuyé sur la table. Je pus voir le journal qu'il lisait; il s'agissait de *La Dépêche*, l'hebdomadaire local.

On pouvait lire à la une : MYSTÉRIEUSE DISPARITION D'UNE ADOLESCENTE : LES RECHERCHES SE POURSUIVENT.

Trois

Je sais que ça paraît bizarre, mais, en me tenant tout près de Robin, j'ai senti le besoin de le connaître. La manchette m'a un peu fait frissonner, mais je l'ai vite oubliée en admirant le profil de Robin et ses mains qui effleuraient le journal. J'ai eu l'impression, même si je ne lui ai pas parlé, qu'il était plus qu'un séduisant garçon. Que si je ne faisais pas sa connaissance, j'en mourrais. Est-ce qu'on peut mourir de regret?

Rémi observait Robin qui scrutait l'article. Tout à coup, il lui arracha le journal des mains.

— Tu ne te rends pas compte que tu te complais dans des pensées morbides?

Un frisson me parcourut le dos. Je savais que « l'adolescente disparue » dont il était question dans l'article devait être celle qui s'était enfuie, celle dont on avait montré la photographie durant le diaporama, Laurie. C'était une amie de Vanessa Saint-Cyr, à en croire la diapositive. Avait-elle été la petite amie de Robin ? J'avais envie de lui poser la question. Mais je ne dis rien et l'impression de malaise s'estompa. « Quoi que cette fille ait pu représenter aux yeux de Robin, c'était terminé, me dis-je. » Ça ne me concernait pas. Elle n'était même plus là, après tout.

Rémi se leva soudain. Je faillis pouffer de rire en songeant qu'il pourrait faire une annonce publicitaire pour un écran solaire : « Deux nuances disponibles : Plus blanc que blanc et vert menthe pour les génies de l'informatique. »

— Est-ce que tu habites la ville ou le comté ? me demanda l'employée derrière le comptoir.

J'avais complètement oublié sa présence.

— La ville, je crois.

— Nous devons en être certains à cause des taxes municipales, expliqua-t-elle. Trouve la rue où tu habites sur la carte et je pourrai te dire si elle fait partie de la ville ou du comté.

Je ne savais pas très bien où chercher sur la carte, qui se trouvait sous la surface vitrée du comptoir, et je mis plusieurs minutes à repérer ma rue. Je devais faire la connaissance de Rémi et de Robin le plus tôt possible. Ils paraissaient si sûrs d'eux, vêtus de leurs jeans délavés et de leurs chemises élégantes et bien coupées. Mais cela semblait désespéré. Je supposais que Sophie Voyer avait vu juste. Je m'intéressais à eux, mais je ne voyais pas pourquoi eux se seraient intéressés à moi.

Je me souviens qu'en 1re secondaire, je m'inquiétais toujours de savoir avec qui je dînerais. En 2e secondaire, j'avais abandonné l'idée de devenir populaire. Mes amis étaient membres du club de maths ou de sciences. Durant l'heure du dîner, nous parlions généralement de notre plus récent examen.

— Quelle réponse as-tu obtenue à la question numéro trois ? Non, c'est vrai ? Alors j'ai dû me tromper.

C'était l'exemple fidèle du genre de conversation que nous tenions. Mais même ce fragile succès social m'avait échappé après le divorce de mes parents. Ma mère était devenue bizarre, elle avait un comportement étrange et racontait souvent des idioties.

Lorsque j'avais demandé à mon père — qui avait eu l'air plus surpris qu'heureux — de venir me chercher pour que j'aille habiter chez lui, c'était pour moi une question de survie. C'était la troisième polyvalente que je fréquentais et j'y étais entrée sans m'attendre à avoir du plaisir. Tout ce que je désirais, c'était obtenir mon diplôme.

Maintenant, des sentiments nouveaux s'éveillaient en moi. Je regardai les branches de l'arbre qui s'élevait jusque sous les fenêtres au-dessus du comptoir. Bientôt, de tout petits bourgeons garniraient ses branches nues et grises. Le monde semblait plein de promesses et je constatai que je *voulais* m'amuser. J'en avais besoin. C'était mon nouveau plan.

On aurait dit que les couleurs s'intensifiaient autour de moi. Les longues tables polies de la bibliothèque, ses planchers couleur sable, le ronronnement de l'ordinateur et le bruit de la chasse d'eau dans les toilettes du couloir, constituaient la toile de fond d'une merveilleuse aventure. Si seulement je pouvais trouver un moyen d'aborder Robin et ses amis !

— Salut ! Annie, si ma mémoire est bonne, cria une voix rauque.

— Annick, corrigeai-je en me retournant pour faire face à Sophie Voyer.

Elle me sourit comme si elle venait de décider qu'elle avait fait sa bonne action quotidienne en me saluant. Ses pommettes roses lui donnaient un air sain et de minuscules boucles d'oreilles en or brillaient à chacun de ses lobes. Elle avait l'air débordante d'énergie dans ses jeans rouges et son chandail à col roulé.

— Comment ça va ? Es-tu déjà membre d'un club ?

— Bien sûr, mentis-je.

La dernière chose que j'avais envie d'entendre, c'était un sermon sur l'importance d'adhérer à des clubs.

— Duquel ? demanda-t-elle.

On aurait cru qu'elle menait une enquête policière.

Je continuai à remplir les espaces vides sur la fiche d'inscription, comme si je ne l'avais pas entendue. Il y a longtemps que j'ai découvert qu'on a pas besoin de répondre à une question quand on en a pas envie. La plupart des gens n'osent pas répéter leur question par peur du ridicule.

— Les activités parascolaires sont très importantes, insista Sophie d'un ton implacable. C'est l'une des choses auxquelles s'attardent les responsables des admissions dans les collèges et les universités.

Je commençais à me sentir coincée. À ma manière, je tentais d'élaborer un plan pour m'intégrer à ma nouvelle école et Sophie ne m'était d'aucune aide ; au contraire. Je voulais qu'elle me laisse tranquille.

— Ne te fais pas de souci pour moi, murmurai-je. J'ai des A dans toutes les matières et un QI de 130. Je crois que, à moins d'être arrêtée par la police, je n'aurai aucun mal à entrer au collège.

Elle chancela, comme si je venais de lui apprendre que j'étais *Supergirl*.

— Ça alors ! C'est tout un QI !

— Je lis beaucoup.

— Il faut viser l'harmonie, cependant, continuat-elle en retrouvant rapidement son assurance. Ce n'est pas tout d'avoir de bonnes notes et un QI élevé. N'importe qui te le dira.

Personne ne le savait mieux que moi. Mes notes et mon QI étaient formidables, mais on ne pouvait pas dire que je nageais dans le bonheur. Par contre, je n'avais pas l'intention de raconter ma vie à Sophie. Je souris d'un air vague, penchai la tête et me concentrai sur les blancs à remplir. Adresse précédente ? J'inscrivis notre adresse à Trois-Pistoles, où nous avions habité avant le divorce de mes parents. Il n'était pas question que j'écrive l'adresse actuelle de ma mère sur quelque fiche que ce soit. Le nom d'une personne demeurant à une adresse différente de la mienne et qui pourrait fournir des références ? J'inventai un nom et ajoutai deux chiffres à mon adresse pour en fabriquer une autre tout à fait plausible. Ça n'avait aucune importance. Je rapporterais les livres à temps. Que craignaient-ils donc ?

Je tendis ma fiche remplie à la bibliothécaire. Elle écrivit mon nom et mon adresse sur une carte en plastique rigide et y colla un code à barres.

— Tu ne peux emprunter que trois volumes aujourd'hui. Quand tu les auras rapportés, il n'y aura plus de limite.

Elle me remit ma carte.

Je la rangeai dans mon portefeuille et me retournai pour aller chercher mes trois livres. À mon grand étonnement, Sophie n'était plus derrière moi. C'était Robin Desparts qui se tenait là.

Il sourit.

— Tu as vraiment un QI de 130 ou tu essayais simplement de te débarrasser de Sophie ?

Super. Tout ce dont j'avais besoin, c'était d'être reconnue comme la fille au QI de 130. Aussi bien dire adieu à mon plan de m'amuser…

Robin donna un coup de poing amical sur le bras de Rémi. Je n'avais pas remarqué que Rémi était à côté de lui. Robin me faisait cet effet-là…

— Rémi, lui, a obtenu une note parfaite en maths, m'annonça-t-il.

— Que voulez-vous ? dit Rémi avec un petit sourire suffisant. Je suis un génie.

— En fait, il est incroyablement stupide, me confia Robin. Mais il est fort en calcul. C'est un savant idiot. Tu vois ce que je veux dire ? Comme dans *Rain Man*.

— Sors d'ici ! hurla Rémi.

La bibliothécaire les foudroya du regard.

— Chut ! siffla-t-elle. Les gens essaient de lire !

Le sourire de Robin et de Rémi ne s'effaça pas. Je compris tout de suite que l'autorité des adultes ne signifiait absolument rien pour eux.

Robin me montra sa carte de membre pour que j'y lise son nom : ROBIN DESPARTS. ADRESSE : 833, CHEMIN SAINTE-ANNE. Je lui montrai la mienne.

— Bien sûr, je n'ai pas besoin de te présenter Rémi, dit Robin en désignant son ami.

— Il est jaloux, déclara Rémi. C'est compréhensible. Je suis un champion de yo-yo connu dans le monde entier.

— Ferme-la, Rémi, dit Robin avec bonne humeur.

Il se tourna vers moi.

— On s'en va à *La Pâte à choux*. Tu viens avec nous ?

Rémi interrogea Robin du regard.

— Eh bien ! pourquoi pas ? dit Robin qui haussa les épaules en croisant son regard.

Incapable de prononcer un mot, je fis signe que oui.

— Laisse ta voiture ici, proposa Robin avec désinvolture par-dessus son épaule. On te ramènera tout à l'heure.

Quatre

... J'aurais voulu me pincer, mais j'avais peur qu'il me voie. «Tu viens avec nous?» Comme si je faisais partie de la bande. Je vous en prie, pensai-je, faites que rien ne vienne gâcher ce moment...

La Corvette de Robin était garée dans l'espace réservé aux handicapés, tout près de l'entrée. Robin déverrouilla les portières; je m'empressai de monter dans la voiture et m'enfonçai dans le siège de cuir rembourré.

— Tu as bouclé ta ceinture? demanda Robin en emballant le moteur.

Je refermai la portière juste à temps pour qu'elle ne soit pas arrachée au moment où Robin reculait.

— Alors? Qu'est-ce qui t'amène dans notre belle ville? demanda-t-il.

Je lui donnai la réponse habituelle: je voulais habiter chez mon père durant quelque temps. Quatre haut-parleurs crachaient de la musique endiablée; je me sentais légèrement engourdie. J'étais à la fois terriblement excitée qu'il m'ait invitée et terrifiée de voir à quelle vitesse nous roulions ; alors je me sentais incapable de tenir des propos intelligents. Heureusement, Robin n'avait pas l'air d'y prêter attention. Il regardait droit devant lui, comme s'il pensait à autre chose. La Corvette franchit un passage à niveau à toute vitesse ; puis Robin accéléra de nouveau tandis que défilaient des lave-autos et des agences immobilières. On traversa ensuite un quartier résidentiel, puis Robin ralentit et tourna dans le stationnement d'une pépinière.

Une grande enseigne indiquant *La pâte à choux* se dressait au-dessus de l'édifice de l'autre côté du stationnement. Néanmoins, à en juger par les tables sur la terrasse et par le menu affiché dans la fenêtre, il s'agissait plus d'un restaurant que d'une pâtisserie.

— Où est Rémi ? demanda Robin qui descendit de la voiture et jeta un coup d'œil aux alentours. L'avons-nous semé ?

À cet instant, une petite Chevette bleue se gara à côté de nous.

— Hé ! c'est Stéphane et Vanessa ! dit Robin en souriant. Tu vas pouvoir faire leur connaissance.

Leur voiture était bien ordinaire en comparaison de la Corvette de Robin et lorsque Stéphane et Vanessa en descendirent, les bas descendus jusqu'aux chevilles, j'eus l'impression, pour un instant, qu'ils étaient déguisés. Ils posèrent sur moi leurs yeux sombres, étonnés, au moment où la voiture de Rémi s'engageait dans le stationnement.

— Stéphane! Vanessa! cria Rémi.

Il sauta hors de la voiture et courut vers nous.

— Où étiez-vous donc passés? dit Robin.

— On faisait notre devoir de physique, répondit Stéphane.

— Monsieur Doiron est en pleine crise de la quarantaine, expliqua Vanessa. Il s'est mis à nous traiter d'imbéciles et nous a donné deux fois plus de devoirs que d'habitude.

— Hier, ajouta Stéphane, il nous a tous prêté une boussole et nous a demandé de lui indiquer où était le nord.

— J'étais l'une des nouilles qui ont montré la mauvaise direction, dit Vanessa.

— Ce n'est pas étonnant, dit Stéphane. Aucune boussole n'indiquait la même chose!

— C'est probablement à cause des poutres d'acier de l'édifice, intervint Rémi. Ça dérègle les boussoles.

Vanessa et Stéphane le regardèrent d'un air penaud.

— Dommage que tu n'aies pas été là, dit Stéphane. Tu aurais pu partager tes connaissances avec nous.

— Comment pouvait-il vous demander d'indiquer le nord si les boussoles étaient déréglées? demanda Robin.

— Ce n'est pas à moi qu'il faut le demander, soupira Vanessa.

— Votre cours de physique est à la deuxième période, n'est-ce pas ? demanda Rémi en plissant les yeux. Je parie que le soleil inondait la pièce.

— Et alors ? dit Vanessa qui haussa les épaules.

Rémi éclata de rire.

— Alors, puisque vous savez que le soleil se lève à l'est, vous auriez dû être en mesure, bande de crétins, de trouver le nord !

— Rémi, je te hais et je te déteste, déclara Vanessa.

— Oui, mais au moins, tu ne peux pas faire comme si je n'existais pas.

Rémi sourit.

— Allons manger quelque chose, proposa Robin.

Vanessa et Stéphane me fixaient sans détourner les yeux.

— Oh ! dit Robin. Voici Annick. Elle est nouvelle à l'école. Je l'ai invitée à se joindre à nous.

Il y eut un long silence. Je me rappelai ce que Sophie avait dit à propos de leur clan très fermé. Mais c'était tout de même ridicule ! On aurait dit qu'ils en voulaient tous à Robin de ne pas les avoir consultés avant de m'inviter !

— Eh bien, on y va ou quoi ? demanda Rémi en marchant vers le restaurant. Qu'est-ce que vous êtes lambins !

On prit des plateaux en entrant et on passa devant l'étalage des biscuits en forme de cœur et autres délices bourrés de calories : morceaux de gâteau au chocolat, cornets de pâte feuilletée fourrés à la crème…

Robin commanda une douzaine de biscuits.

— On partagera, expliqua-t-il.

Il sortit son portefeuille et posa un billet de dix dollars tout neuf près de la caisse. Je me demandai si Robin réglait toujours la facture ; il conduisait une Corvette, après tout. Il devait avoir les moyens. On prit tous une tisane, sauf Rémi, qui opta pour un jus de canneberge, pour ne pas faire comme les autres. On s'installa ensuite à une table décorée d'une bouteille contenant de la ciboulette en fleurs.

— Pas étonnant que tu sois arrivé avant moi, Robin ; à la façon dont tu conduis…

Rémi jeta un coup d'œil espiègle vers Robin.

— Tu devrais faire attention, tu sais.

La joue de Robin tressaillit.

— Tu es monté avec moi assez souvent pour savoir comment je conduis, Rémi, dit-il.

De toute évidence, Robin était tendu. Vanessa aussi s'en était rendu compte ; je la sentis frémir à mes côtés.

Elle se redressa tout à coup et joignit les mains sur la table.

— C'est bon, les gars ! dit-elle gaiement. Nous sommes les quatre mousquetaires, vous vous souvenez ? Tous pour un et un pour tous, n'est-ce pas ?

J'eus la curieuse impression que Vanessa les mettait en garde. Mais contre quoi ? Peut-être que ma présence les gênait. Peut-être qu'ils ne se sentaient pas à l'aise de parler devant moi. J'éprouvais le sentiment qu'ils faisaient des sous-entendus.

— Bien entendu, tu n'as pas besoin de t'en faire, Robin, puisque tu n'as eu aucun point de démérite, poursuivit Rémi.

Il se tourna vers moi.

— Savais-tu qu'il n'a jamais eu un seul point de démérite ?

— Ça devrait me surprendre ? demandai-je.

— As-tu encore dépassé la limite de vitesse, Robin ? Ça ne me plaît pas de te voir rouler aussi vite.

Vanessa regarda Robin d'un air anxieux.

— Ralentis et prends le temps de respirer le parfum des fleurs. Tu vivras plus longtemps.

— C'est formidable de tous vous entendre me sermonner, déclara Robin d'un ton irrité. J'apprécie beaucoup ce que vous faites pour moi. Pourquoi ne pas parler des défauts des autres, maintenant ?

Je ne comprenais pas très bien pourquoi cette discussion au sujet de la façon de conduire de Robin avait mis tout le monde à cran, mais le malaise se dissipa rapidement. Lentement, Rémi versait du lait dans la tisane de Robin.

— Regardez ! s'exclama-t-il. Je crée une cellule à convection dans la tasse.

Je fixai la tasse fumante. Je supposai qu'une «cellule à convection» était une sorte de phénomène naturel impliquant de l'eau chaude et du lait froid. Je me demandai si c'était un exemple de ses conversations.

— On ne parle plus de physique, Rémi, protesta Vanessa. Je ne veux même plus y penser.

— Le tact n'a jamais été son fort, fit remarquer Robin en parlant de Rémi.

— Je me moque du tact ! s'écria Rémi, le sourire aux lèvres. Ce que j'ai en tête, c'est le pouvoir, la célébrité et la richesse.

— Rémi caresse l'ambition de fonder une compagnie d'ordinateurs, expliqua Robin. Il veut devenir millionnaire.

— Pourquoi pas ? Qu'y a-t-il de mal à vouloir de l'argent ? demanda Rémi. C'est bien facile d'être au-dessus de tout ça quand on est déjà plein aux as.

— Robin ne te reprochait rien, Rémi, intervint Vanessa. Il exposait seulement tes projets à Annick, qui ne te connaît pas aussi bien que nous.

Les yeux de Rémi plongèrent soudain dans les miens.

— Alors, quelle est ton histoire ? demanda-t-il. N'est-ce pas un peu bizarre de changer d'école à ce temps-ci de l'année ?

— Je vivais chez ma mère, expliquai-je. Maintenant, je vais habiter chez mon père durant quelque temps.

— Je n'ai jamais vu quelqu'un changer de polyvalente en 5e secondaire sans y être obligé, insista Rémi. Tu es en 5e secondaire, n'est-ce pas ? Tu es certaine que tu ne fais pas partie du programme de protection des témoins ?

Subitement, il éclata de rire.

— Tu connais ce programme, n'est-ce pas ? Supposons que tu es une criminelle et que tu décides de témoigner contre tes complices — tu les dénonces et, en échange, aucune accusation n'est portée contre toi. Le gouvernement te donne une nouvelle identité et tu obtiens un nouvel emploi dans une autre ville. Tes anciens complices ne peuvent pas te retracer.

Stéphane fit un mouvement involontaire de la main et heurta la salière. Il jura tout bas.

— Ferme-la, Rémi, dit-il. Annick n'a pas besoin qu'on lui dise comment joindre les rangs du programme de protection des témoins.

— Tu as dit que tu venais de déménager?

L'expression de Vanessa était amicale.

— Que penses-tu de l'école jusqu'à maintenant?

— Ça ne fait pas longtemps que je suis arrivée, répondis-je. Je n'ai pas encore eu l'occasion de me faire une opinion.

L'attaque inattendue de Rémi m'avait ébranlée et j'étais reconnaissante à Vanessa d'avoir changé de sujet. J'étais déterminée à ne pas dévoiler le mystère entourant la folie de ma mère et l'étrange et sombre maison que j'avais laissée derrière moi. Ça n'aurait pas dû être compliqué. La plupart des jeunes ne posaient pas de question à propos des parents des autres. Je ne m'attendais donc pas à affronter la curiosité obstinée de Rémi. Tout à coup, je me sentis soulagée de ne pas avoir honte de mon père. En fait, à cause de sa vie sociale bien remplie, il n'était pas là assez souvent pour me gêner.

— Avez-vous entendu ce qu'elle a dit ? demanda Rémi. « Je n'ai pas encore eu l'occasion de me faire une opinion. » J'adore cette réponse. Elle est très vague. Maintenant, nous mourons tous d'envie de savoir quelles choses horribles elle pense de nous, n'est-ce pas ? Dis-moi, Annick, es-tu toujours aussi évasive ?

— Fiche-lui la paix, Rémi, ordonna Robin.

Le regard qu'il adressa à Rémi me donna la chair de poule. Je me surpris à penser que, sous des dehors civilisés, Robin pouvait être dangereux.

Rémi devait penser la même chose, car le ton de sa voix s'adoucit.

— Oui, monsieur. Excusez-moi, monsieur. Je la taquinais un peu, c'est tout. C'était pour rire.

Il me fit un clin d'œil.

— N'est-ce pas, Annick ?

— Je vais aller me chercher un autre biscuit, annonçai-je.

J'avais les lèvres engourdies et prononçai difficilement ces mots. Les autres avaient l'air gentils ; je me demandais pourquoi ils enduraient Rémi. Je me tenais debout devant le comptoir, retirant nerveusement plusieurs serviettes en papier du distributeur, tout en essayant de retrouver mon courage et retourner à la table.

Quand je les rejoignis, ils cessèrent tous de parler et me dévisagèrent, comme s'il avait été question de moi pendant mon absence.

— Qu'est-ce que tu veux faire de toutes ces serviettes ?

Rémi fixait la pile de serviettes en papier dans ma main.

— Tu sais quelque chose que nous ne savons pas ? On annonce un déluge ?

— Rémi, dit Robin calmement. Je t'ai dit de lui ficher la paix.

— Bon sang !

Rémi agita les mains comme s'il écartait des mouches.

— Tu veux jouer les redresseurs de torts, Robin ? Ne te donne pas ce mal. Mon petit doigt me dit qu'Annick peut très bien se défendre toute seule.

— Ne prête pas attention à lui, dit Vanessa. Il n'a pas appris les bonnes manières. Moi aussi, j'utilise toujours plusieurs serviettes.

Je levai les yeux vers elle avec reconnaissance.

— Ç'a l'air bon, dit Robin en regardant mon biscuit de près. Je peux avoir les miettes ?

— Va t'en chercher un, Robin, dit Rémi. Le père de Robin est bourré de fric, tu sais. Il est cardiologue. C'est un membre important de notre société. Mais on ne le voit pas souvent ; il travaille tout le temps, surtout depuis que la mère de Robin est partie.

Je ne pus m'empêcher d'observer Robin. Je rougis timidement quand il me fixa à son tour, comme s'il rejetait ma sympathie. Son visage était impassible ; on aurait dit un masque. Malgré le mur d'indifférence qu'il avait dressé entre nous, j'éprouvai de la compassion pour lui. Ni l'un ni l'autre n'avions de véritable famille.

— Avez-vous remarqué que les familles ne se rassemblent plus pour les repas ?

Rémi continuait son bavardage.

— Moi, je considère ça comme une bénédiction, mais certains prétendent que ça a quelque chose à voir avec le déclin de la société et les problèmes que connaissent parfois les jeunes — la criminalité, les drogues, etc. Parle-nous de ta famille, Annick.

Il s'adossa à sa chaise.

— Es-tu enfant unique ?

— Oui.

— J'espère que nous ne resterons pas assis ici tout l'après-midi à discuter du déclin de la société, déclara Stéphane ; Vanessa et moi, on n'a pas besoin de ça après avoir étudié de la physique durant deux heures, ce matin. En plus, j'ai un travail à rédiger en histoire.

— On parlait des familles, dit Rémi. J'illustrais simplement ma théorie.

— Alors, Annick, quels cours suis-tu ? demanda Robin.

Je décrivis brièvement mes cours.

— Bon Dieu ! Ton horaire est aussi rempli que celui de Stéphane ! s'exclama Rémi.

— Personne n'a un horaire aussi chargé que le mien, dit Stéphane d'un air sombre.

Robin posa une cuillère en équilibre sur la salière. Son visage était d'un calme inquiétant — j'allais d'ailleurs souvent revoir cette expression au cours des temps difficiles — et je me surpris à me pencher vers lui avec l'air d'attendre quelque chose, comme s'il s'apprêtait à prononcer une parole importante. Mais lorsqu'il parla, sa voix était neutre.

— Comment ça va entre Sophie Voyer et toi? demanda-t-il. Elle veut t'adopter ou quoi?

— Résiste-lui, dit Vanessa pour me mettre en garde.

— Elle n'est pas bien méchante, protesta Robin.

— Elle est terrible, rétorqua Vanessa. L'autre jour, elle a attaqué Stéphane.

— C'était lors d'une soirée chez des copains, raconta Stéphane. Elle a cru que je voulais lui faire des avances — ce qui est faux, en passant — et elle s'est mise en colère.

Robin me regarda.

— Attention à ce que vous dites. Pour ce que nous en savons, Sophie est la meilleure amie d'Annick.

— Je la connais à peine, fis-je remarquer.

Rémi sourit malicieusement.

— Encore une réponse qui ne veut rien dire!

— Ma vie n'a rien de mystérieux, dis-je.

De toute évidence, Rémi était l'une de ces personnes qui prenaient plaisir à embarrasser les autres. En me voyant mal à l'aise quand il avait été question de ma famille, il s'était acharné sur moi. Cela le rendait assez désagréable.

Je fus soulagée quand ils cessèrent de s'intéresser à moi et recommencèrent à parler de l'école. Robin s'efforça de me faire participer à la conversation. C'était désespéré, mais je fis une tentative.

— J'ai trouvé le diaporama très intéressant, dis-je. Je t'ai reconnue sur l'une des diapos, Vanessa. Tu sais, celle du lavothon?

Il y eut un silence de mort. Je me sentis déconcertée.

— C'était bien toi, n'est-ce pas? Avec cette fille, Laurie? Celle qui s'est enfuie?

Vanessa s'humecta les lèvres et regarda Stéphane.

— C'était bien moi.

Elle s'éclaircit la voix.

— Est-ce qu'on sait ce qui lui est arrivé? demandai-je.

Je me tournai vers Robin. En me rappelant à quel point il était figé en lisant le journal à la bibliothèque, je me demandai si j'avais commis une grave erreur en abordant un sujet aussi délicat.

— La police croit qu'elle s'est suicidée, répondit Vanessa. Mais nous sommes convaincus qu'elle s'est enfuie.

Les yeux effrayés de Vanessa semblaient attirés par le visage de Robin. Je ne comprenais pas ce qui se passait. S'ils étaient tellement certains qu'elle s'était enfuie, pourquoi Vanessa avait-elle si peur?

— Aucun d'entre vous n'a eu de ses nouvelles? demandai-je.

— Non. Pas encore, répondit Robin.

Le ton de sa voix était calme et ses mains reposaient sur la table, immobiles, comme s'il s'était soudain vidé de son sang.

Rémi se mit à rire.

— Laurie avait des ennuis chez elle, poursuivit Vanessa. Nous le savions tous.

— Sa mère est une sorcière, ajouta Stéphane. Elle était très méchante avec elle.

— Alors ça ne nous a pas vraiment étonnés que Laurie fasse une fugue, ajouta Vanessa dont les yeux allaient rapidement de Stéphane à Robin, comme si elle attendait un signal de leur part.

— Ce n'est pas tout à fait vrai, précisa Robin. Bien sûr, nous avons été surpris !

— Oui, dit Vanessa. Ce que je veux dire, c'est qu'en y songeant bien je m'aperçois qu'il y avait beaucoup d'indices qui nous laissaient croire que Laurie n'était pas heureuse.

— Beaucoup, répéta Stéphane.

Je jetai un coup d'œil rapide vers Rémi. Je trouvais qu'il était étrangement silencieux et je sursautai en voyant qu'il souriait.

— Ce dut être épouvantable de voir la police entreprendre des recherches et interroger tout le monde, dis-je.

— Épouvantable, acquiesça Vanessa.

— Plus nous réfléchissions, dit Stéphane, plus nous étions persuadés qu'elle s'était enfuie.

— D'autant plus que la police n'a pas retrouvé son corps, dit Rémi sèchement.

Il retira un coupe-ongles de sa poche et nettoya ses ongles avec la lime. Je le fixai du regard, à la fois fascinée et dégoûtée. Peut-être allait-il ensuite se peigner au-dessus de son assiette.

— Nous nous attendons à avoir de ses nouvelles d'une journée à l'autre, continua Vanessa.

Rémi ricana.

— En fait, nous en sommes presque certains.

Cinq

… Le ricanement de Rémi s'adressait-il à moi ? Est-ce que tout le monde m'en voulait parce que j'avais parlé de Laurie ? Après tout, si elle avait toujours fait partie de la bande, de quel droit pouvais-je me permettre de poser des questions à son sujet ? Elle était peut-être plus qu'une copine pour Robin. C'est peut-être pourquoi il paraissait aussi étrange et distant. En fait, ils avaient tous une attitude assez bizarre.

Robin a tendu la main pour ramasser quelques miettes de mon biscuit. C'est à peine si j'ai pu me retenir de la lui saisir et de la serrer très fort.

— L'ennui avec des gens comme Sophie Voyer, dit Robin, c'est qu'ils croient aux principes qu'on leur a inculqués.

Ce nom familier me ramena à la réalité. La porte s'ouvrit et un courant d'air froid me donna la chair de poule.

— Non; le défaut de Sophie Voyer, c'est qu'elle est l'image de la petite fille modèle, affirma Vanessa.

— Elle est hypocrite. C'est ce que je déteste chez elle, ajouta Stéphane.

— Mais elle croit sincèrement à ces trucs qu'on nous a appris à la maternelle, insista Robin: partager, être gentil, faire les choses à tour de rôle.

— J'adorais la maternelle, avoua Stéphane. C'était le bon temps! C'était bien avant monsieur Doiron et la physique. J'aimais bien la sieste et le jeu de construction.

Vanessa l'empêcha de détourner la conversation.

— S'il y a quelqu'un qui est à l'opposé de Sophie, c'est bien Kim, dit-elle.

Robin rougit.

— Pourquoi tiens-tu tant à placer le nom de Kim dans la conversation? Qu'est-ce qui se passe? Vous vous êtes donné le mot ou quoi?

Stéphane m'adressa un sourire espiègle.

— Robin et Kim se sont fréquentés durant quelque temps et Vanessa n'a pas l'intention qu'il oublie.

— Une incursion dans le monde *heavy metal*! s'écria Rémi.

Il fit semblant de jouer de la guitare.

— *Wild thing… you make my heart sing.*

— Tout ça doit être bien ennuyeux pour Annick, fit remarquer Stéphane. Elle ne connaît même pas Kim.

— Oui, je la connais, dis-je. Je partage son casier.

J'avais aperçu le nom inusité de Kim Camiré sur le manuel de mathématiques qui traînait au fond du casier. Ce fut pour moi un choc terrible d'apprendre que Kim avait déjà été la petite amie de Robin. Était-ce à elle que Sophie songeait lorsqu'elle m'avait prévenue que je n'étais pas le genre de Robin?

— Aïe! fit Stéphane. Tu partages un casier avec Kim? Pauvre Annick! Est-ce qu'elle t'a déjà volé quelque chose?

— Si tu la connais, dit Vanessa, tu peux voir qu'elle est très différente de Sophie.

— Sophie m'a attaqué à coups de sac à main, dit Stéphane.

Robin consulta sa montre.

— Je ferais mieux de raccompagner Annick à la bibliothèque.

— Nous pouvons la ramener, offrit Vanessa.

Robin hésita, mais consulta de nouveau sa montre, nerveux.

— Si ça ne vous dérange pas, dit-il.

On sortit tous ensemble, les mains dans les poches et frissonnants. Le vent soufflait dans le stationnement. Robin monta dans sa voiture. En m'installant dans la Chevette de Stéphane, je ne vis qu'une tache rouge au moment où la voiture de Robin sortit du stationnement. Vanessa, l'air inquiet, suivit la Corvette des yeux.

Pendant que nous roulions, j'avais envie de demander comment l'histoire de Robin et de Kim avait commencé, mais je craignais de révéler mon intérêt pour Robin. Stéphane s'alluma une cigarette avec l'allume-cigare du tableau de bord. Sa voiture sentait la fumée et était en désordre. La banquette arrière était recouverte d'une vieille couverture et jonchée de livres, de bouts de crayons, de morceaux de bonbons et de papiers de gomme à mâcher.

Vanessa tourna la tête.

— Tu peux baisser la vitre, dit-elle, si tu veux respirer.

L'air frais qui entrait dans la voiture engourdissait mon visage. Je ne pensais qu'à une chose : j'aurais voulu me trouver dans la voiture de Robin.

— Je parie que ça t'a étonnée d'apprendre que Robin est déjà sorti avec Kim, dit Vanessa.

Je la regardai d'un air surpris. Elle avait lu dans mes pensées.

— Ils ne sont pas sortis ensemble bien longtemps, observa Stéphane.

— Assez longtemps, protesta Vanessa.

— Je ne la connais pas beaucoup, dis-je prudemment, mais c'est vrai qu'ils paraissent bien différents.

— Robin est indépendant et sérieux, commença Vanessa, alors que Kim est plutôt…

— Volage, termina Stéphane.

Vanessa approuva en hochant la tête.

— C'est comme si Robin avait eu besoin de se défouler. Surtout après le départ de sa mère. Il ne boit pas, ne prend pas de drogue et ne sèche pas les cours ; je crois que c'est pour ça qu'il a été attiré vers elle.

Je songeai, avec une certaine inquiétude, qu'on me percevait peut-être aussi comme une fille indépendante et sérieuse. Je me demandai s'ils n'essayaient pas de me faire comprendre de façon détournée que je n'avais pas la moindre chance avec Robin.

— Est-ce que vous essayez de me dire quelque chose ? lançai-je.

— Q-quoi ? demanda Vanessa, perplexe.

Je haussai les épaules.

— Je me demandais seulement, dis-je, si vous vouliez me faire comprendre que je ne suis pas le genre de Robin.

Le vent me piquait les yeux, mais je parvins à esquisser un sourire larmoyant.

— N-non, répondit Vanessa. Pas du tout.

Je remarquai que Stéphane et Vanessa bégayaient tous les deux quand ils étaient embarrassés. Leur ressemblance était troublante. Je remontai la vitre et m'adossai à la banquette. Gênée, j'avais le visage qui picotait et la fumée me donnait la nausée. Iraient-ils raconter à Robin ce que j'avais dit ? Ce serait horrible. Je me rendis compte qu'il fallait que je dise quelque chose. Je m'éclaircis la voix.

— Il paraît que Rémi est un génie de l'informatique, dis-je.

C'était la première chose qui m'était venue à l'esprit.

— C'est ce qu'on dit, confirma Stéphane.

Il y eut un long silence tandis que Stéphane

s'engageait dans la voie d'accès à l'autoroute. Ils étaient si volubiles quand il était question de la vie sociale de Robin que je m'étonnai de leur silence à propos de Rémi.

— Je ne veux surtout pas que tu croies que Kim est le genre de Robin, finit par dire Vanessa. Ce n'est pas du tout ce que j'ai voulu dire. La plupart des filles avec lesquelles il est sorti étaient très gentilles. Moi, je les aimais toutes. Et toi, Stéphane ?

— Ce qui les attire le plus, c'est la voiture de Robin, continua Stéphane. Elles s'imaginent qu'une sortie avec Robin, ça se passe comme au cinéma. Bon, d'accord, il roule en Corvette, mais ce n'est qu'une voiture. Robin n'est pas bien différent du reste d'entre nous, en fin de compte.

— C'est son père qui a eu l'idée de lui offrir une Corvette, expliqua Vanessa. C'était son cadeau d'anniversaire. Le docteur Desparts souhaite que son fils développe des goûts de luxe pour qu'il n'ait d'autre choix que de devenir médecin. Enfin, c'est ma théorie.

— Robin aime bien sa voiture, ajouta Stéphane.

— N'importe qui l'aimerait ! s'exclama Vanessa. Mais c'est un piège. En y réfléchissant bien, c'est un peu comme avoir un chaperon : une voiture de sport tape-à-l'œil comme celle-là est tellement voyante que Robin n'ose rien y faire de peur que son père l'apprenne.

Elle lança un regard nerveux en direction de Stéphane.

— N-non pas qu'il ait déjà voulu… Mais c'est uniquement pour te donner un exemple.

— Méfiez-vous des cadeaux empoisonnés des cardiologues, plaisanta Stéphane. Je suppose que c'est la morale de l'histoire, s'il y en a une. Y en a-t-il une, Vanessa ?

— Qu'est-il arrivé à la mère de Robin ? demandai-je.

Stéphane haussa les épaules.

— C'est la crise de la quarantaine.

— Ça s'est passé de façon étrange, raconta Vanessa. Elle est allée à la réunion des anciens élèves de sa promotion, y a revu l'amour de ses vingt ans et a décidé de partir avec lui. Après son départ, le père de Robin avait l'air d'un mort vivant. Il a été terriblement secoué. Qui aurait pu s'attendre à ça ? Les hommes qui assistent à des réunions d'anciens élèves sont habituellement chauves et bedonnants.

— Évite d'en parler à Robin, dit Stéphane. Il n'aime pas qu'on aborde le sujet.

J'acquiesçai d'un signe de la tête.

— Bon, nous y sommes, dit Vanessa.

La bibliothèque se dressait devant nous. La silhouette de l'édifice de brique se découpait nettement dans la lumière et paraissait terriblement austère. Je cherchai la poignée de la portière pour descendre. Le vent soufflait si fort que la portière se referma brusquement. Mes cheveux fouettaient mon visage et m'aveuglaient. Les grands pins derrière la bibliothèque s'agitaient bruyamment dans le vent. J'eus l'envie soudaine de remonter dans la voiture de Stéphane.

Vanessa et Stéphane me saluèrent de la main.

— À bientôt! cria Stéphane.

Un petit nuage de fumée grise sortit du tuyau d'échappement de la Chevette lorsqu'ils quittèrent le stationnement.

Est-ce que j'ai rêvé, ou est-ce que Vanessa et Stéphane étaient un peu moins sur la défensive ? C'était bon de me trouver sur la banquette arrière et d'écouter leurs voix douces. Comme s'ils m'avaient confié leur secret. Je ne pense pas que Laurie ait été la petite amie de Robin. Si elle l'avait été, je crois qu'ils me l'auraient dit. Je n'arrive pas à comprendre ce que Laurie représentait pour eux. Ils paraissent plutôt indifférents et sa disparition ne semble pas les inquiéter. Je crois que je ne les connais pas encore très bien.

J'étais plutôt mal à l'aise au restaurant. Je nageais contre le courant. J'étais incapable de voir où ils voulaient en venir. Mais c'est sûrement sans importance.

Jamais je n'ai autant frémi pour un garçon; et jamais je n'ai autant souhaité faire partie d'un groupe.

Six

Cher journal,

Une semaine s'est écoulée depuis ce jour à La Pâte à choux, et je n'ai pas eu de nouvelles de la bande. Hier, j'ai aperçu Rémi au bout du couloir et lui ai fait un signe de la main, mais il n'a pas semblé me voir. Les autres élèves marchent en groupe ou en couple et se saluent, alors que je reste à l'écart et les observe.

Quand je suis rentrée chez moi cet après-midi, la maison était silencieuse ; j'ai pris le courrier dans la boîte aux lettres et l'ai jeté sur la table de la salle à manger. C'est comme ça tous les jours : nous recevons un tas de factures et de circulaires. Je me suis ensuite assise à l'autre extrémité de la table et j'ai fixé mon manuel de physique d'un air consterné. Les formules dansaient devant mes yeux. Comment diable vais-je réussir ce cours ?

On dirait que j'attends qu'il se passe quelque chose. Un coup de téléphone. Un simple

allô dans le couloir. Quelque chose! J'ai
l'impression qu'ils sont déjà sortis de ma
vie...

Chaque jour, après l'école, je rentrais à la maison et je regardais autour de moi, déprimée. On se serait cru dans la salle d'attente d'un bureau de médecin. Tous les planchers étaient recouverts d'une moquette beige et les garde-robes de la maison, récemment construite, sentaient encore le bois fraîchement raboté. Une lampe de style moderne en chrome et en ébène éclairait un long canapé en cuir. La grande fenêtre de la salle à manger donnait sur un étang qui s'ouvrait sur un terrain de golf. Les températures étant exceptionnellement douces pour cette période de l'année, il m'arrivait d'apercevoir, quand je levais les yeux de mon travail, un golfeur qui marchait en traînant les pieds ; de loin, on aurait dit un pantin. Je notai que, malgré le froid, le vent ou la pluie, il y avait toujours un golfeur qui s'élançait pour frapper une balle invisible. Je distinguais un drapeau sur la pelouse d'arrivée et lorsque j'ouvrais les fenêtres de la cuisine pour aérer la maison, j'entendais parfois le ronronnement des voiturettes électriques.

J'essayai de me convaincre que je n'aimais pas Robin et ses amis. Mais quand j'étais à l'école, je me surprenais à tout faire pour les croiser. Mon cœur se mettait à battre violemment à la vue d'une tête blonde au loin ou d'un garçon élancé dont la démarche me paraissait familière ; lorsque je m'approchais, j'éprouvais une vive déception en constatant que ce n'était pas Robin. Un mercredi après-midi, j'entrevis sa voiture qui sortait du stationnement à la fin des cours et, comme elle s'éloignait, un vif sentiment d'abandon m'envahit.

J'avais tellement besoin de parler à quelqu'un que, le lendemain, en apercevant Sophie qui s'installait à une table de la cafétéria, je posai mon plateau en face d'elle.

— Salut. Est-ce que la place est réservée ?

— Non, répondit-elle. Mes amies arriveront d'une minute à l'autre, mais assieds-toi quand même. Il y a bien assez de place pour tout le monde. Comment ça va du côté des gens riches et célèbres ?

Je restai perplexe. Était-ce à moi qu'elle parlait ?

— Robin et toi, vous êtes passés juste à côté de moi en Corvette, expliqua-t-elle. Je vous ai salués de la main, mais vous ne m'avez pas vue. Suzie Bernier m'a dit qu'elle t'avait vue avec toute la bande, l'autre jour. Tu sors souvent avec eux ?

— Non, pas souvent, répondis-je. Je suis allée à *La Pâte à choux* avec eux. C'est tout.

— Ah oui ?

J'avais piqué sa curiosité.

— Ils doivent être soulagés que Laurie ait écrit à sa mère.

— J'ignorais qu'elle lui avait écrit, dis-je en m'assoyant.

— Ils ne te l'ont pas dit ? demanda Sophie en

levant les yeux. Je n'arrive pas à le croire ! La police a ratissé la ville entière pendant que tout le monde craignait pour sa vie. J'aurais cru qu'ils auraient été heureux d'apprendre qu'elle était saine et sauve. Mais bien sûr, ils n'ont pas réagi à la nouvelle. Ils ne font rien comme les autres. Je ne fréquenterais pas cette bande pour tout l'or du monde.

— Je n'ai revu aucun d'entre eux depuis la semaine dernière, lui confiai-je.

Je me demandais, le cœur serré, si je serais heureuse d'être acceptée dans leur clan. Ils semblaient m'avoir oubliée.

— Stéphane m'a raconté que tu l'as attaqué à coups de sac à main.

J'observai Sophie tout en ouvrant mon berlingot de lait.

— Qu'est-ce qui s'est passé ?

— Il m'a pincé les fesses ! dit-elle, indignée. Je n'ai même pas pris le temps de réfléchir. Je me suis retournée brusquement et je lui ai donné un coup. Mon sac à main a des garnitures de cuivre et je dois l'avoir frappé très fort, car il avait du sang sur la bouche. Ça lui apprendra à se tenir tranquille. Vanessa s'est jetée sur moi comme une hystérique. Elle a enfoncé ses ongles dans ma peau et m'a tiré les cheveux. Je n'invente rien : on se serait cru dans un film d'horreur. Je crois que c'est Robin et un autre garçon qui l'ont finalement maîtrisée. J'étais en état de choc.

Sophie secoua la tête.

— Je me moque de ce que les gens disent. Ce n'est pas normal de se comporter comme ça. Pas étonnant que Laurie ait fait partie de leur bande. Elle était plutôt bizarre, elle aussi.

— Comment ça? demandai-je.

J'étais quelque peu irritée de voir que la conversation tournait de nouveau autour de Laurie.

— Pour te donner un exemple, commença Sophie en baissant la voix, je suis entrée dans les toilettes quelques jours avant sa fuite; elle était assise par terre et pleurait à chaudes larmes.

— Tout le monde peut avoir une mauvaise journée, dis-je, mal à l'aise.

Il y a des jours où, moi aussi, j'aurais envie de m'asseoir sur le plancher et de sangloter.

— Mais c'était pire qu'une mauvaise journée, insista Sophie. Elle était assise sur le plancher des toilettes des filles! Imagine! Il y avait des mégots de cigarettes et des serviettes en papier mouillées partout. Beurk! En plus, elle n'a dit à personne qu'elle partait, n'est-ce pas? Moi, si j'envisageais de faire une fugue, j'en parlerais au moins à ma meilleure amie, pas toi?

Il y avait si longtemps que je n'avais pas eu d'amie intime que je me sentais incapable de répondre à cette question.

— Bien sûr, c'est possible que Vanessa ait menti pour la protéger, poursuivit Sophie, mais je ne peux pas croire qu'elle ait fait ça; même elle! Les plongeurs ont fait des recherches dans le petit lac derrière l'école! On craignait qu'elle se soit suicidée. Tout le monde était terriblement inquiet.

— Peut-être que Laurie et Vanessa n'étaient pas très proches, suggérai-je.

— Peut-être. Aucun membre de cette bande n'est vraiment sociable, fit remarquer Sophie. Voilà le problème : ils ne sont pas amicaux.

Je ne voulais plus entendre les critiques de Sophie, alors j'écoutai d'une oreille distraite ses remarques au sujet du groupe. Je sentis soudain une odeur de musc. À ma grande surprise, Kim tira une chaise et s'assit à côté de moi.

— Salut, dit-elle.

Il y eut un moment de silence. Je retrouvai la parole la première et saluai Kim le plus gentiment possible. La dernière chose que je voulais, c'était qu'elle mette le feu au casier parce qu'elle était en colère contre moi.

Kim ouvrit son hamburger, l'examina d'un œil inquiet, y retira la tranche de concombre et la lança derrière elle. Je la vis atterrir sur la tête d'un grand garçon assis à la table derrière elle. Du coin de l'œil, je vis le garçon retirer de ses cheveux la tranche de concombre couverte de ketchup et foudroyer ses amis du regard.

Kim me dévisagea de ses yeux bleus et, délicatement, se gratta une dent avec son ongle.

— Il paraît que Robin t'a ramassée à la bibliothèque, finit-elle par dire en faisant la moue. Je me demande ce qu'il te trouve.

À ma grande surprise, je commençais à m'amuser. Kim semblait très ennuyée que Robin se soit intéressé à moi.

— Qu'est-ce que tu racontes? s'écria Sophie. Ils sont amis, c'est tout. Kim, on ne t'a jamais dit de ne pas jouer avec la nourriture? Regarde ce que tu fais! C'est dégoûtant.

Kim remuait sa purée de pommes de terre après y avoir mis des petits pois. Elle ajouta ensuite un peu de lait au chocolat à son mélange.

— Tu agis comme une élève de troisième année, gémit Sophie.

— On peut faire ce qu'on veut ici, lui lança Kim.

Un gros garçon surgit derrière Kim et l'entoura de son bras en faisant mine de l'étrangler.

— Devine qui c'est!

Kim ferma les yeux.

— Ghislain? Joël? Bruno?

Le garçon jura.

— Un instant, dit Kim. Je connais cette voix. Donne-moi une minute. Dominic? Simon?

— Tu veux me mettre hors de moi, Kim?

Il la libéra et lui donna une poussée amicale.

Elle leva les yeux vers lui.

— Il faut que j'y aille, les filles. On réclame ma présence.

— C'est incroyable! s'exclama Sophie dès qu'ils furent partis. Elle est sortie avec tous les garçons de l'école. C'est scandaleux! Je n'ose même pas penser à l'opinion que tu dois avoir de notre polyvalente.

Elle frissonna.

— Quand ma mère faisait ses études secondaires, personne ne songeait même à se comporter d'une telle façon.

— Je suppose que c'est pour ça qu'on en parle comme du bon vieux temps.

Je jetai un regard par-dessus mon épaule.

— Je me compte chanceuse de ne pas avoir été prise au milieu d'une bagarre où tout le monde se lance de la nourriture.

— Tu sais, avant, les élèves étaient fiers de leur l'école, dit Sophie avec nostalgie. Ils affichaient tous les couleurs de la polyvalente et avaient même composé une chanson de ralliement. Tu as déjà entendu *Sois fidèle à ton école*?

Je pouffai de rire.

— C'est ce genre d'attitude, dit Sophie sèchement, qui nous rend la vie difficile. Tu dois te demander: «Qu'est-ce que je fais pour mon école?» Si tu n'apportes aucune solution, c'est que tu es en partie responsable du problème. Tout le monde se moque de ce qui peut arriver aux autres. C'est chacun pour soi.

J'acquiesçai mécaniquement.

— Mais Kim est probablement née comme ça, ajoutai-je.

Un groupe de filles qui riaient bêtement arriva à notre table sans crier gare.

— Qu'est-ce que Kim est venue faire à ta table? demanda l'une d'elles. Nous sommes sorties de la file et je suis restée figée sur place. J'avais la frousse, n'est-ce pas, Caro? J'avais une peur bleue de venir m'asseoir. J'étais complètement pétrifiée. «Et si elle me lance sa purée de pommes de terre?» ai-je dit à Caro. Beurk! Je viens de me laver les cheveux!

Sophie me présenta aux autres. Les filles s'assirent en ricanant, me demandèrent poliment si j'aimais ma nouvelle école, puis firent semblant de ne pas me voir. La conversation allait bon train tandis que je mangeais mon dîner. Les filles discutaient vivement des différentes méthodes d'épilation.

— C'est certain, la cire, c'est douloureux, affirma d'un ton sérieux une jolie brunette, mais ça ne dure qu'une seconde lorsque l'esthéticienne tire sur la bande. Bien entendu, il faut choisir quelqu'un de compétent. Au salon de beauté où je vais, on utilise une lotion spéciale après l'épilation et la repousse est plus douce.

— C'est dégoûtant, dit la fille à côté d'elle. Moi, je ne veux pas de repousse. Je ne veux *aucun* poil. Je veux des jambes lisses.

Je la dévisageai, amusée. Elle crut que le sujet m'intéressait et s'adressa à moi poliment.

— Quelle méthode utilises-tu, Annick?

Je haussai les épaules.

Après ça, elles firent comme si je n'étais pas là.

Après le repas, j'entraînai Sophie à l'écart pour lui parler seule à seule.

— Écoute, dis-je, je comprends que tu n'aimes pas Robin et sa bande, mais, moi, j'ai besoin d'amis.

Et puisque Kim n'est pas tout à fait mon genre…

Sophie pouffa de rire.

— Tu peux le dire !

— Alors qu'est-ce que je fais ? demandai-je. À ce rythme-là, je passerai les trois prochains mois à parler toute seule.

— Si tu veux venir t'asseoir avec mes amies et moi, tu seras toujours la bienvenue, dit Sophie avec un sourire forcé. En fait, tu es plutôt du genre intellectuel. Je l'ai remarqué tout de suite. Je parie que tu t'entendrais bien avec ce groupe qui fait partie des clubs de maths et de sciences. Tu t'es déjà inscrite à quelques clubs, n'est-ce pas ? Ça te plaît ?

— C'est super, mentis-je.

Je me défilai. Je n'arrivais pas à croire que je m'étais abaissée à demander conseil à Sophie. Je me rendis compte alors que j'étais bien plus près de craquer que je ne le pensais.

Je crois que je n'avais jamais été aussi découragée, aussi désespérée. Après le cours de physique, j'engageai la conversation avec un élève du Moyen-Orient qui participait à un programme d'échanges.

— J'aime beaucoup le Québec, dit-il. Tout me plaît ici, sauf la restauration rapide. Les jeunes sont beaucoup plus libres que dans mon pays. Tu es très jolie. Quel est ton numéro de téléphone ?

Je me rendis au secrétariat et demandai des renseignements au sujet des clubs de maths et de sciences. Je notai même la date et l'heure de leurs réunions.

Je traversai le stationnement et montai dans ma voiture. Le ciel était noir ; un orage allait éclater. Une mince bande de ciel clair était visible à l'horizon. Une feuille de papier froissée tourbillonna sur le gravier, portée par le vent. « Voilà à quoi ressemble ma vie, pensais-je tristement. Et je vais échouer en physique, en plus. » La seule chose qui me réjouissait, c'était de ne pas avoir donné mon numéro de téléphone au garçon du cours de physique.

— J'étais certain que c'était ta voiture, dit une voix familière.

Mon sang ne fit qu'un tour lorsque j'aperçus Robin debout à côté de mon auto. Je m'empressai de baisser la vitre.

— Salut, dis-je en levant les yeux vers lui.

Il sourit.

— J'espérais te rencontrer à un moment donné.

— Je ne t'ai pas vu à l'école, dis-je. Où étais-tu passé ?

Il eut l'air dérouté pendant un instant.

Il me sourit et secoua la tête.

— Cette école est trop grande. On n'est jamais sûr de rencontrer quelqu'un, même si on fait tout pour y arriver.

— Tu faisais tout pour me revoir ?

Je posai ma main sur la sienne et caressai doucement ses doigts.

— Bien sûr.

Il sourit.

— Il faudrait bien qu'on retourne à *La Pâte à choux*, un de ces jours.

« Un de ces jours » voulait dire : « Tu es bien gentille, mais je ne suis pas près de te réinviter. »

— Ce serait formidable, dis-je gaiement.

J'étais peut-être désespérée, mais je refusais de faire pitié. Je mis le moteur en marche.

— Tu es pressée ? demanda Robin en s'éloignant de la voiture.

Je fis signe que oui.

— À bientôt.

J'entrevis mon sourire radieux dans le rétroviseur.

Tandis que je sortais du stationnement, je me sentais si misérable que j'aurais pu m'asseoir sur le plancher des toilettes des filles et pleurer à chaudes larmes parmi les serviettes en papier mouillées.

Sept

… Je parviendrais peut-être à me ressaisir si Robin arrêtait de disparaître, de réapparaître, puis de disparaître à nouveau. Peut-être qu'en disparaissant pour de bon, il me rendrait service. Peut-être qu'alors je n'oscillerais plus entre l'espoir et la déception.

Quand je rentrai chez moi, le téléphone sonnait. Les seuls appels que je recevais venaient de la secrétaire de mon père, qui m'avisait toujours quand il travaillait tard. Je ne fus donc pas pressée de répondre.

— Allô? dis-je.

Je jetai mon livre de physique sur la table de la cuisine.

— Annick? C'est Robin. Est-ce que j'ai fait quelque chose qui t'a rendue furieuse? Tu es partie si vite.

Mon cœur faillit exploser.

— Non. J'étais pressée, c'est tout.

— Tu l'es toujours? As-tu le temps de bavarder?

— Oui, je crois.

J'approchai une chaise à l'aide de mon pied et me laissai tomber dessus.

— Ça te dirait de souper avec moi ce soir? demanda-t-il.

— D'accord, dis-je.

L'horloge tomba par terre avec un grand fracas. Je la fixai, interdite. Jusqu'alors, je n'avais jamais cru à la télékinésie.

— Qu'est-ce que c'était? demanda Robin.

«Mon cœur», pensai-je.

— Rien, répondis-je. L'horloge est tombée.

— Je sais l'effet que ça fait.

Rien qu'à l'entendre, j'étais certaine qu'il souriait.

— C'est à la dernière minute... commença-t-il.

Je l'interrompis.

— Ce n'est pas grave. Mon père travaille souvent très tard. En fait, lui confiai-je, c'est à peine s'il a remarqué que j'avais emménagé. Je serais ravie de souper avec toi.

— Fantastique! Tu aimes la cuisine chinoise?

J'émis quelques sons inarticulés d'assentiment et Robin dit qu'il passerait me prendre à dix-huit heures. Dès que j'eus raccroché, je courus jusqu'à ma garde-robe et la passai en revue avec frénésie. Je me demandai quels vêtements pourraient plaire à

Robin. Puisque je n'avais d'autre indice que le cuir noir de Kim et les chemises amples dont raffolait Vanessa, je ne savais pas quoi choisir. «Les jeans sont toujours de mise», me rappelai-je.

Après avoir pris une douche et séché mes cheveux, j'optai pour un ample chemisier tissé à motif indien de couleur rouge, bleu et or. Puis, avec une grande concentration, comme s'il s'agissait d'une décision capitale dans ma vie, je choisis mes boucles d'oreilles. Je décidai de porter une paire que j'avais achetée à un concert rock; elles étaient de couleur argent avec de minuscules cloches.

J'étais prête beaucoup trop tôt; nerveuse, je m'assis sur un canapé de cuir, guettant l'arrivée de la voiture de Robin. Par la grande fenêtre de la salle à manger, je pouvais voir les nuages noirs qui planaient; le ciel était le théâtre d'un spectaculaire jeu d'ombres et de lumières. Au loin flottait le petit drapeau du treizième trou du parcours de golf; il était clairement visible dans l'étrange lumière. L'orage était sur le point d'éclater.

Je bondis au déclic du verrou lorsque mon père entra. Je le regardai d'un air ébahi.

— Y a-t-il quelque chose d'intéressant dans le courrier? demanda-t-il.

Il s'était laissé pousser la moustache depuis le divorce.

— Non. Je croyais que tu travaillerais tard.

— Pas ce soir.

Il feuilleta les circulaires sur la table. Il portait

une montre chère à affichage numérique, qui pouvait indiquer si la marée était haute ou basse à Bornéo, ou l'heure exacte de la pleine lune, à une nanoseconde près. Un jour, il m'avait expliqué la fonction de chacun des boutons, probablement parce qu'il ne trouvait rien d'autre à me dire.

— Comme je regrette d'avoir fait un don à la fondation de la dystrophie musculaire! dit-il. Mon nom doit figurer sur la liste d'adresses de toutes les associations du pays.

Il jeta les enveloppes dans la poubelle l'une après l'autre.

— La fibrose kystique. Le spina-bifida. C'est déprimant. Qu'en penses-tu? On se fait livrer une pizza ou on fait décongeler quelque chose dans le micro-ondes?

— J'ai des projets pour la soirée, annonçai-je.

Il était visiblement soulagé.

— Oh! Alors j'inviterai peut-être Julie à souper!

Ses yeux suivirent la silhouette d'un golfeur au loin.

— À quelle heure rentreras-tu? demanda-t-il sans intérêt.

— Je n'en sais rien. Je vais souper avec un ami. J'ignore à quelle heure je reviendrai.

— Je vais peut-être sortir, alors assure-toi d'apporter ta clé. Comment ça va à l'école?

— Je vais échouer en physique.

— Si tu as besoin de cours privés, je paierai. Si ça existe toujours…

Il sourit faiblement.

— Fais comme tu veux. Je ne veux pas te forcer.

Il ouvrit une enveloppe.

— Est-ce qu'on a besoin d'un appareil pour nettoyer la moquette ? C'est la meilleure offre qu'on nous fera jamais, paraît-il.

Je regardai la moquette beige encore neuve qui s'étendait dans le salon.

— Non, répondis-je. Je ne crois pas.

— Je pense que je vais téléphoner à Julie, dit-il.

Il était au téléphone dans sa chambre lorsqu'on sonna. J'ouvris toute grande la porte.

— Salut, dit Robin.

— Salut.

Je m'étais promis de rester calme, mais je sentis ma bouche s'étirer en un large sourire.

Robin regarda d'un air curieux derrière la porte ouverte.

— Ton père ne veut pas voir les garçons avec qui tu sors ?

— Non, dis-je en fermant la porte derrière moi. Sa propre vie amoureuse l'accapare beaucoup trop.

— Les adultes devraient réfléchir avant de se marier, avança Robin.

— Je suis bien d'accord avec toi. Il ne m'a pas demandé mon avis mais je pense que c'est bien triste de voir une personne dans la cinquantaine chercher encore l'âme sœur.

— Oui, approuva Robin avec tristesse.

Tout à coup, je songeai à sa mère et me demandai si j'avais dit quelque chose qu'il ne fallait pas.

Au moment où nous descendions les marches de l'entrée, le vent agita les branches des arbres au-dessus de nos têtes. Il allait bientôt pleuvoir.

Derrière la voiture de mon père, la Corvette rouge de Robin paraissait aubergine au crépuscule. Robin m'ouvrit la portière.

Ma tête heurta le siège lorsque la voiture démarra en trombe. Je regardai le compteur kilométrique.

— Ça alors ! Tu as beaucoup roulé ces derniers jours, n'est-ce pas ?

J'avais relevé le kilométrage de la voiture quand nous étions allés à *La Pâte à choux*, la semaine précédente. Depuis, il avait beaucoup augmenté.

Il me lança un regard surpris.

— Tu as l'habitude de lire les compteurs kilométriques des voitures dans lesquelles tu montes ?

— Je sais que ça paraît bizarre, mais je ne peux m'empêcher de remarquer les nombres et de m'en souvenir. Où es-tu allé pour avoir ajouté plus de cinq cents kilomètres à ton compteur ?

— Nulle part, répondit-il. J'aime rouler. C'est tout. Ça m'aide à réfléchir. Pas toi ?

— Non, avouai-je. J'ai surtout des pensées morbides au volant. J'imagine souvent le même accident. Ma voiture traverse la ligne jaune et se fait écrabouiller par un camion.

— Tu parles sérieusement ?

Son regard se posa sur moi.

— Absolument. Je suis très anxieuse de nature.

Il comprit l'allusion et ralentit.

— On dirait qu'on n'a pas beaucoup de choses en commun, n'est-ce pas?

— N'abandonne pas la partie tout de suite! dis-je, alarmée.

Il sourit et je rougis jusqu'aux oreilles.

— Tu sais, lorsqu'on est allés à *La Pâte à choux*, l'autre jour, commença-t-il, je ne pouvais détacher mes yeux de ton visage et j'aurais bien voulu que les autres se taisent un peu pour que je puisse me concentrer davantage sur la petite mèche de cheveux frisés que tu as sur la tempe.

Je touchai timidement la mèche en question. J'essaie constamment d'étirer cette mèche rebelle à l'aide du séchoir, mais, malgré mes efforts, elle est indomptable. Ce qui est encore plus curieux, c'est que ma mère a une mèche frisée exactement au même endroit.

— J'étais certain que tu trouvais mes amis insupportables, dit Robin.

— Oh! non! protestai-je faiblement.

— Rémi est parfois grossier. Il ne se rend pas compte qu'il blesse les gens. Il passe trop de temps à démonter des ordinateurs.

J'étais persuadée que Rémi était délibérément méchant, mais je ne pouvais pas le dire à Robin.

Robin me lança un regard.

— Quelquefois, quand quelqu'un reste silencieux, on finit par imaginer des choses à son sujet. Par exemple, on croit que cette personne est folle de nous alors qu'en réalité tout ce qui l'intéresse c'est notre voiture. Tu me suis? J'aimerais que tu me dises tout de suite ce que tu penses sincèrement.

— Rémi n'est pas très sympathique, lançai-je.

— Non, dit-il au bout d'un moment. Probablement. Je comprends ce que tu veux dire. Mais les personnes gentilles sont plutôt ennuyeuses, non?

La voiture s'immobilisa devant une enseigne au néon rose indiquant «Le jardin de l'Orient». À l'intérieur étaient alignées des tables en plastique laminé, et près de la caisse se trouvaient des éventails bon marché, des beignets chinois et des poupées vêtues de satin brillant.

— Je choisis toujours le poulet et les légumes sautés ou le *moo goo gai*, dit Robin, une fois assis. On ne peut pas habiter avec un cardiologue et continuer à manger du porc.

J'optai pour le porc à la sauce aigre-douce. J'espérais lui donner l'impression de vivre dangereusement.

Je me demandai pourquoi Robin pensait que les filles s'intéressaient à lui uniquement à cause de sa voiture. Il m'aurait attirée même en planche à roulettes. La seule fois où j'avais rencontré un garçon aussi séduisant que lui, c'était en 2e secondaire, et ce n'était pas moi qui lui plaisais, mais une de mes amies.

Le repas fut servi mais je n'y portai guère attention. J'étais heureuse d'être avec Robin. J'aimais le regarder, mais c'était plus que ça. Nous discutions d'un tas de choses. Il était l'un des rares garçons que j'avais rencontrés qui lisait autre chose que les lectures obligatoires de l'école. Il connaissait un tas de choses fascinantes. Par exemple, un phénomène astronomique qui m'avait toujours émerveillée : les trous noirs. Un rayon de lumière décrit une cercle autour d'un trou noir, car celui-ci exerce une telle force gravitationnelle qu'il courbe la lumière. Celle-ci entoure le trou de sorte que, si l'on pouvait se tenir au bord du trou noir avec une lampe de poche, on pourrait voir la lumière de la lampe à la fois devant et derrière nous.

— Vous ferez la connaissance d'un charmant inconnu, lis-je sur le papier accompagnant mon beignet.

Robin fronça les sourcils.

— J'espère bien que non, dit-il.

— C'est sûrement mon horoscope d'il y a deux semaines, dis-je en riant.

Robin sourit et me montra le sien. « Vous êtes doué pour communiquer avec les gens », pouvait-on y lire.

— Celui-ci devait être destiné à quelqu'un d'autre. Je ne sais jamais quoi dire aux gens. Rémi, lui, dit ce qui lui passe par la tête. Je voudrais parfois être comme lui.

— Ne change pas, lui dis-je et mes yeux plongèrent dans les siens.

J'aurais voulu me pencher au-dessus de la table et l'embrasser. En le regardant dans les yeux, j'éprouvai le désir de lui toucher la main.

— Crois-tu au destin? demandai-je soudain.

Robin hésita.

— Je ne sais pas.

Son regard rencontra le mien, comme s'il y cherchait une réponse.

Lorsque'on sortit du restaurant, il faisait nuit noire. La pluie tombait à grosses gouttes et l'enseigne lumineuse jetait une lueur rose sur nos têtes. Les yeux gris de Robin paraissaient foncés dans l'obscurité.

Il se pencha pour m'embrasser et je ressentis une forte émotion quand il posa sa bouche contre la mienne. Sa main était chaude lorsqu'il balaya mes cheveux pour m'embrasser de nouveau.

— Je mourais d'envie de t'embrasser dans le restaurant, me confia-t-il, mais je me suis dit: «Ne fais pas ça; tu vas tomber dans l'assiette de *moo goo gai*.»

Je ris, mal à l'aise. Mon cœur battait si fort que j'avais peur qu'il l'entende.

— Il pleut à verse. On va être trempés.

— Reste ici. Je vais chercher la voiture.

Il remonta son blouson par-dessus sa tête et courut vers la voiture. La lumière rose de l'enseigne se reflétait dans son dos. Bientôt, Robin disparut sous la pluie.

Ça peut paraître bizarre, mais, pendant que je me tenais là, sur le trottoir mouillé, tremblant encore après le baiser de Robin, je pensais à Sophie qui m'avait dit que je n'avais aucune chance avec lui.

Vanessa m'avait laissé entendre la même chose, elle aussi. Je jubilais. Aucun doute possible : elles allaient être étonnées.

Quelques secondes plus tard, la voiture rouge et basse s'avança comme en rampant ; j'y montai après avoir enjambé le torrent qui coulait le long du trottoir. Je me sentis coupable d'éprouver un sentiment de joie. Stéphane avait raison : je me serais crue dans un film.

La radio était allumée et les essuie-glaces balayaient le pare-brise avec un bruit monotone.

— Je vais rouler lentement à cause de la pluie, promit Robin.

— Parfait.

Je lui souris. L'eau ruisselait sur le pare-brise et noyait les contours de tout ce qui se trouvait à l'extérieur.

— On dirait que nous sommes dans un autre monde, observa Robin. On se croirait en pleine mer, voguant sous la pluie.

Je compris immédiatement ce qu'il voulait dire. Je l'avais senti aussi au restaurant. Nous étions tellement absorbés l'un par l'autre que le cliquetis des assiettes et des couverts, les chuchotements des serveurs et les murmures des tables voisines s'étaient graduellement tus.

— Je comprends ce que tu veux dire, dis-je doucement. C'est une sensation enivrante. Comme si seul le moment présent comptait. Je l'ai remarqué aussi.

— C'est comme s'il n'y avait personne d'autre.

Il me sourit.

— Rien que toi et moi.

Soudain, la lueur froide et bleue du gyrophare d'une voiture de police clignota devant nous. Robin ralentit considérablement au moment où sa Corvette dépassa la voiture de police et un autre véhicule immobilisé sur le bas-côté.

Le visage de Robin s'était assombri.

— As-tu lu l'article du journal qui raconte comment on a attrapé les auteurs du vol de banque la semaine dernière ? demanda Robin tout à coup.

Je secouai la tête.

— Il était tard le soir et les voleurs roulaient en deçà de la limite de vitesse. Qu'est-ce que tu dis de ça ?

Il n'avait pas l'air de trouver ça drôle, mais il jeta un regard vers moi pour voir si j'avais bien saisi.

— Des policiers en patrouille leur ont ordonné de s'arrêter parce qu'ils trouvaient leur conduite suspecte. Personne ne respecte la limite de vitesse après minuit, mais les voleurs de banque sont tellement stupides. Voilà pourquoi ils se font toujours prendre.

— Ne me raccompagne pas jusqu'à la porte, dis-je quand la Corvette s'arrêta devant la maison. Tu serais trempé.

— Je le suis déjà.

— Eh bien ! tu le serais encore davantage.

La voiture de mon père n'était pas là. Il devait se trouver chez cette Julie.

J'avais espéré que Robin m'embrasserait de nouveau, mais il ne bougea pas.

— Bonne nuit! dis-je en voyant qu'il demeurait silencieux.

Il sursauta au son de ma voix et me sourit soudain d'un air si affectueux que j'en eus le souffle coupé.

— Bonne nuit, dit-il. Merci d'avoir accepté mon invitation.

Je courus jusqu'à la porte, le visage ruisselant de pluie, puis entrai dans la maison calme et obscure de mon père. Je m'adossai à la porte un moment pour reprendre mon souffle, ébranlée. «Le bonheur est presque à ma portée, me dis-je. Si seulement je pouvais le saisir et ne plus le lâcher. Robin et moi sommes faits l'un pour l'autre.» À cet instant, debout dans le vestibule, je constatai que rien d'autre ne comptait pour moi que l'attirance que j'éprouvais pour Robin. C'était angoissant, car je compris tout à coup que je ne pourrais jamais être heureuse avec quelqu'un d'autre. Et malgré ce bonheur dont je rêvais, j'appréhendais les terribles épreuves que nous réservait l'avenir.

Huit

Cher journal,

Je croyais que j'arriverais à te raconter le baiser de Robin en détail, mais je perds sans cesse le fil de mes pensées. La police, la prison, le crime, les sanctions... qu'est-ce qui se passe ? Ces sujets tout à fait dénués de romantisme surgissent toujours dans mes conversations avec Robin. Je me demande pourquoi. Est-ce qu'il se sent coupable de rouler trop vite ? D'avoir sorti avec Kim ? Ou d'être attiré par moi ? Il y a une infinité de choses dont on peut se sentir coupable !

Et il n'y a pas que Robin qui se conduit bizarrement. Quand Rémi a voulu faire une blague au sujet du programme de protection des témoins, Stéphane était si agité qu'il a renversé la salière. Je me demande s'ils ont tous menti à la police pour protéger Laurie, comme l'insinue Sophie. Pour des jeunes qui accordent de l'importance à de saines habitu-

des de vie — au point de ne pas boire une
goutte de café —, ils sont plutôt nerveux. On
jurerait qu'ils ont quelque chose à se repro-
cher.

Même si je le cherchai toute la journée, je ne vis
pas Robin à l'école, le vendredi. J'aurais aimé que
nous ayons un cours ensemble pour être sûre de le
rencontrer. Vanessa et Stéphane s'embrassaient
dans le même escalier que d'habitude après le premier cours et ils ne me virent pas quand je leur souris. Je décidai de ne pas les interrompre pour leur
demander s'ils avaient vu Robin.

Je mourais d'envie d'agripper Sophie par le bras
et de lui annoncer que Robin était à moi, rien qu'à
moi; mais à tête reposée, je manquais maintenant
d'assurance. Et si Robin sortait complètement de
ma vie? J'avais l'impression de marcher sur des
œufs. Peut-être que ce bonheur fragile allait disparaître aussi vite qu'il était apparu.

Le temps était pluvieux. C'était une de ces jour-
nées chaudes de printemps qui nous surprennent parfois. Quand je rentrai chez moi, je vis que le voisin
d'en face profitait du beau temps pour laver sa voiture. C'était un garçon costaud, obèse mais musclé;
on aurait dit un joueur de football qui avait perdu la
forme. Il ne portait que des jeans et un t-shirt sans
manches sale et trempé. Je remarquai que ses cheveux étaient noués derrière la tête. Un setter irlandais
bondissait autour de lui en faisant voler quelques

gouttelettes d'eau. Le garçon avait quelque chose de très intimidant. J'hésitai un peu avant d'aller chercher le courrier dans la boîte aux lettres au bord de la rue. « C'est ridicule, me dis-je en sortant. C'est idiot d'avoir peur de marcher dans l'allée de ma propre maison. »

— Hé ! appela-t-il.

Je fus si surprise que le couvercle de la boîte aux lettres se referma d'un coup sec.

— Hé ! viens ici ! cria-t-il.

— Moi ?

— Oui, toi ! Qui d'autre ?

Résignée, je traversai la rue. En m'approchant, je constatai que le garçon avait à peu près mon âge. Quelques poils de moustache commençaient à garnir sa lèvre supérieure, mais ses joues étaient encore duvetées et boutonneuses. Il s'essuya le front avec son avant-bras, puis retira de sa poche un chiffon bleu avec lequel il s'épongea le visage.

— On est dans la même classe, n'est-ce pas ?

— C'est vrai ?

— Bien sûr. Je m'appelle Bobby Jacques. Je sais comment tu t'appelles, dit-il. J'entends ton nom tous les jours quand le professeur fait l'appel.

J'avais peine à croire que je n'avais pas remarqué quelqu'un d'aussi énorme.

— Couché, Bleu ! ordonna-t-il au setter irlandais.

Bobby me scruta.

— Ma mère n'est pas là et j'organise une fête ce

soir. Ça te dirait de venir faire un tour ? Il va y avoir beaucoup de monde. La dernière fois, toute l'école était là.

— C'est gentil de m'inviter, commençai-je.

Il rit.

— On ne fait aucune invitation officielle pour ce genre de fête. On se passe le mot et on y va. Ça va être toute une soirée. C'est une bonne façon de rencontrer des gens.

— Je vais y penser, dis-je. J'ai beaucoup de travail.

— Personne ne fait de devoirs le vendredi soir.

Il m'observa avec beaucoup de curiosité.

— Je parie que tu meurs d'envie de sortir. N'es-tu pas seule chez toi, la plupart du temps ?

— Je n'ai pas peur de rester seule, déclarai-je. J'ai un revolver et je suis tireuse d'élite.

J'irais jusqu'à prétendre que j'avais un doberman, s'il le fallait. Je ne tenais pas à ce qu'il sache que j'étais souvent seule.

Le setter enfouit son long museau entre mes jambes.

— Bon chien, dis-je en le repoussant. Il est d'une couleur magnifique. Bon chien !

— Ce n'est pas le mien, dit Bobby en fronçant les sourcils. C'est le chien de ma demi-sœur. Je m'occupe de lui en son absence.

Le ton de sa voix m'aida à comprendre ce qui se passait. Jacques. Laurie Jacques était l'amie de Vanessa ; elle avait disparu. Est-ce que Laurie et la demi-sœur de Bobby étaient la même personne? Le setter buvait de l'eau savonneuse dans le seau. Il secoua la tête et nous éclaboussa.

— Ôte-toi de là, Bleu, cria Bobby en ramassant vivement le seau.

— Est-ce que je connais ta demi-sœur? demandai-je, un peu nerveuse. Quel est son nom?

— Laurie, répondit-il brusquement.

Il déposa le seau dans l'allée et se dirigea vers le robinet pour le fermer.

— Viens, Bleu.

Il monta un escalier d'un pas lourd, les pieds trempés. Le chien le suivit.

Lorsque je rentrai chez moi, j'écrivis de nouveau dans mon journal.

Je viens de faire la connaissance de Bobby Jacques, le garçon qui habite en face. Il a essayé de me faire croire qu'il voulait laisser sécher la voiture avant de la cirer, mais je pense qu'il n'aurait pas été aussi pressé de rentrer si je n'avais pas parlé de Laurie. C'est vraiment étrange de voir la réaction des gens quand on prononce son nom. On n'a qu'à dire «Laurie Jacques» et tout le monde perd les pédales. Les gaillards disparaissent; des copains se disputent pendant un diaporama; le visage de Robin pâlit; Stéphane et Vanessa renversent des objets. Comment est-elle donc? Je me demande si on s'intéressait autant à elle avant qu'elle disparaisse.

Est-ce que je suis jalouse ? Peut-être. J'en ai
assez d'entendre son nom ; pourtant, j'ai parfois
envie de tout savoir à son sujet. Sur la diapositive
du lavothon, je l'ai trouvée tout à fait ordinaire. Je
n'aurais pas pensé que son départ créerait un tel
vide. Parfois, quand on prononce son nom, on dirait
qu'un souffle froid monte le long de ma nuque et
j'éprouve une sensation désagréable, comme si
quelque chose n'allait pas. Pourquoi refusent-ils
tous de parler d'elle ? Qu'est-ce qui se passe ?

J'écrivais toujours dans mon journal lorsque mon père rentra du travail. Je remarquai immédiatement qu'il avait quelque chose de changé, mais je n'arrivais pas à savoir exactement ce que c'était. Puis je trouvai. Son front s'était considérablement dégarni au cours des dernières années. Il avait maintenant des mèches de cheveux espacées dont la racine noire, bien visible, ornait le haut de son front.

En voyant que je le fixais, il rougit.

— J'ai eu une greffe de cheveux, expliqua-t-il brièvement. C'est un procédé très simple. J'y suis allé à l'heure du dîner.

Il se tapota le ventre inconsciemment.

— Je songe à acheter un appareil à ramer. Il paraît que c'est un bon moyen de garder la forme. Certains de mes collègues ne jurent que par cet appareil. Je n'aurai pas le temps de souper à la maison, ce soir. Je mets quelques affaires dans ma valise et je file à l'aéroport.

Je le suivis dans sa chambre. Il marchait rapidement dans la pièce en jetant des calculatrices et des calepins dans sa valise.

— Où vas-tu ? lui demandai-je.

Il ouvrit un tiroir de sa commode et en retira une pile de sous-vêtements bien pliés.

— Ma secrétaire ne t'a donc pas téléphoné ? s'étonna-t-il.

— J'étais à l'école, fis-je remarquer. Comment pouvait-elle me joindre ?

Je passais plus de temps à parler à sa secrétaire qu'à mon père lui-même.

— J'ai complètement oublié de t'en parler. Jean-Guy, un collègue de travail, est grippé. Je devrai participer à sa place à une réunion d'affaires à Toronto.

Il toucha délicatement à ses nouveaux cheveux avec la paume de sa main.

— Ça tombe mal. Ils paraîtront plus naturels dans quelques jours.

Il saisit un complet et deux chemises dans sa garde-robe et les glissa dans une housse à fermeture éclair.

Il mit cinq minutes à faire ses bagages. Mon père, c'était l'efficacité en personne. Sur le perron, je le regardai lancer ses bagages sur la banquette arrière de sa voiture.

— Bon voyage ! dis-je.

Il m'adressa un vague sourire. Son air à la fois distrait et joyeux m'était familier et me faisait penser au lecteur du bulletin de météo à la télévision.

Je rentrai dans la maison et fixai le téléphone en espérant qu'il sonne. Ce fut peine perdue. Robin ne m'appela pas. Je craignais qu'il ait décidé de ne plus me revoir. C'était une pensée douloureuse et je m'efforçai de la chasser de mon esprit. Notre réfrigérateur regorgeait de mets surgelés : suprême de poulet, dinde *tetrazzini*, linguine aux champignons. Ils étaient tous pareils : salés, crémeux et caoutchouteux. J'en fis chauffer un au four à micro-ondes et lus le journal tout en mangeant, pour ne pas trop penser à la nourriture fade que j'avalais. La greffe de cheveux qu'avait subie mon père et son intérêt soudain pour la bonne forme physique m'intriguaient. Peut-être était-il amoureux d'une femme beaucoup plus jeune que Julie. « J'ai tellement de chance, pensai-je avec mélancolie, que sa nouvelle flamme ne sera nulle autre que Kim. »

La nuit venait de tomber et des voitures étaient arrivées chez le voisin. Trois autos s'étaient garées dans notre allée, et je constatais qu'il y avait des voitures des deux côtés de la rue. Certains avaient même laissé leur véhicule sur la pelouse. La radio jouait à plein volume dans la maison d'en face. La fête de Bobby avait commencé.

Je m'assis dans le salon le temps de faire mes devoirs en essayant de ne pas prêter attention aux bruits de l'extérieur. Les manuels de physique n'étaient pas assez intéressants. J'étais distraite par la musique endiablée. J'écartai le store et jetai un coup d'œil dehors. On voyait de la lumière dans le salon chez Bobby. Des silhouettes grouillaient autour des voitures et se dirigeaient vers la maison. Je fus étonnée de voir à quel point j'enviais Bobby : lui, en tout cas, ne restait pas seul le vendredi soir à faire des devoirs de physique.

Je n'étais jamais allée à une fête où il n'y avait pas de parents. Ça pourrait être amusant. On m'avait invitée, après tout. Il fallait que j'aille faire un tour. Sans réfléchir trop longtemps, je fourrai mes clés dans la poche de mes jeans, enfilai mon blouson et me dirigeai vers la porte.

La musique était encore plus forte à l'extérieur et l'air frais de la nuit me fouetta le visage. La rue ressemblait à un gigantesque stationnement. Je me frayai un chemin parmi les voitures et remontai l'allée menant chez Bobby. En fronçant le nez, j'ouvris la porte d'entrée. Les meubles avaient été poussés contre le mur pour faire plus de place au milieu de la salle à manger ; plusieurs couples dansaient. Je reconnus un ou deux élèves de l'école. L'immense silhouette de Bobby se dressa devant moi.

— Hé ! s'exclama-t-il en m'entourant de son énorme bras. Content que tu aies pu venir, hurla-t-il dans mon oreille.

À mon grand soulagement, il se précipita pour embrasser une autre fille qui entrait.

La disposition des pièces chez Bobby n'était pas bien différente de celle de notre maison ; je repérai donc la cuisine sans difficulté. C'était plus tranquille que dans le salon et je me dis qu'en cherchant un peu je trouverais bien un cola sans sucre. J'ouvris le réfrigérateur. Il était rempli de canettes de boisson gazeuse. Je me demandai ce que j'allais faire en attendant qu'il se soit écoulé suffisamment de temps pour que je puisse rentrer chez moi. Ça n'avait rien du genre de soirée où l'on pouvait bavarder gentiment. J'ouvris ma canette de cola et m'aventurai dans le salon. Un couple était enlacé sur un fauteuil de cuir; le garçon et la fille se caressaient les cheveux comme s'ils enseignaient l'art de masser le cuir chevelu. Je parvins malgré tout à me faufiler jusqu'à la bibliothèque. Je m'agenouillai et regardai avec attention le dos des livres dans la lumière tamisée: *Comment doubler vos ventes en cinquante jours*; *L'art de négocier*; *Survivre au divorce*. De toute évidence, la mère de Bobby avait un faible pour les guides pratiques. Un livre plus mince attira mon attention: *Vue sur la colline*. Sur la couverture, on voyait le contour d'une branche de cerisier et deux silhouettes. C'était bien différent des autres livres. Je l'ouvris. D'une écriture ronde quelqu'un y avait inscrit une dédicace: *À Bobby, avec tout mon cœur et toute mon âme pour l'éternité. Laurie.* «Voilà qui n'a rien d'un message qu'une sœur écrit à son frère», me dis-je.

Neuf

… J'ai marché vers la bibliothèque, ai saisi un livre qui ne ressemblait pas aux autres et le nom de Laurie y figurait! Je ne suis pas superstitieuse, mais ça me donne froid dans le dos. C'est comme si j'avais été attirée vers l'étagère pour y lire le message de Laurie. Je ressens une impression étrange. Je n'ai jamais rencontré cette fille, mais elle me suit partout. J'ai rapidement remis le livre à sa place, comme s'il me brûlait les doigts.

Je sursautai lorsqu'on me tapota sur l'épaule et virevoltai. Un garçon maigrichon était perché sur le bras d'un fauteuil et ne semblait pas se préoccuper de la présence d'un couple amoureux derrière lui.

— J'espérais que tu viendrais, me dit-il avec un regard bizarre. Depuis le premier jour où je t'ai aperçue au cours d'histoire, je n'ai pas cessé de penser à toi, à tes yeux, à ta peau…

Sa voix était mal assurée, mais il tendait des bras avides vers moi.

Je me levai brusquement pour lui échapper.

— Comment t'appelles-tu, déjà? demanda-t-il, les yeux égarés.

Malheureusement, je ne pouvais l'éviter. D'un côté se dressait une lampe et de l'autre se trouvait le fauteuil qu'occupaient les amoureux. Le garçon se tenait devant moi. Je m'apprêtais à déplacer la lampe pour m'esquiver quand une fille apparut et l'appela.

Dans la chaleur du salon, mon cola était devenu tiède. Je retournai dans la cuisine. Kim était debout devant l'évier et retouchait le vernis de ses ongles pointus comme des griffes. La lumière fluorescente de la cuisine accentuait la couleur magenta de sa bouche et de ses ongles. Elle ne leva pas les yeux lorsque les glaçons tombèrent bruyamment dans mon verre.

— Est-ce que tu connais bien Bobby? lui demandai-je.

Elle se retourna, avec un air méfiant.

— Pourquoi?

— La demi-sœur de Bobby... n'est-ce pas celle qui a fait une fugue?

— Ouais, répondit Kim qui plissa les yeux. Pourquoi me poses-tu cette question?

— Je suis curieuse, c'est tout, lui dis-je.

Je voulais en savoir davantage, mais, lorsqu'une fille aux yeux noirs et avec un diamant dans une narine entra dans la cuisine, Kim referma son flacon de vernis, l'enfouit dans son sac de cuir et sortit d'un pas nonchalant.

— Est-ce que tu sais s'il y a du cola sans sucre ? me demanda la fille d'une voix nasillarde.

— Oui, dans le frigo.

Elle se mit à fouiller dans le réfrigérateur.

— Dans ma bande, on ne boit pas d'alcool, me dit-elle. Cette soirée est navrante, tu ne trouves pas ? ajouta-t-elle en ouvrant une canette de boisson gazeuse. À mon avis, si ces jeunes accordaient plus d'importance aux valeurs fondamentales, ils n'éprouveraient pas le besoin de faire la fête comme ça chaque fin de semaine. Moi, par exemple : je célèbre toujours l'arrivée du solstice d'été. Et celle du solstice d'hiver, à moins qu'il fasse trop froid pour sortir nue.

Elle avala une gorgée de cola.

Je me demandai vaguement à quoi pouvait ressembler sa bande.

— Bien sûr, la société essaie de nous amener à oublier notre origine ethnique, poursuivit-elle obscurément. Elle exploite et corrompt tout ce qu'elle touche. Rien n'est pur, tout est de plus en plus artificiel et…

Elle s'interrompit au beau milieu d'une phrase.

— Un instant. Je sais où je t'ai vue. Tu étais à *La Pâte à choux*, avec le génie de l'informatique et sa bande. Ils sont vraiment bizarres.

Une fille qui porte un diamant dans la narine et qui se balade nue au solstice d'été vient me dire que Robin et ses amis sont bizarres ?

— Je les trouve plutôt gentils, dis-je.

91

— Tu ferais mieux d'être prudente.

Elle but une autre gorgée de cola.

— Il paraît qu'ils prennent de la drogue.

Je songeai à leurs tisanes et me mis à rire.

Le visage de la fille s'assombrit.

— Est-ce que tu te moques de moi?

— Ils ne prennent pas de drogue, affirmai-je. Tu te trompes.

Je lui tournai le dos. J'en avais assez.

À ma grande surprise, en sortant de la cuisine, je bousculai Robin. Il essuya les gouttes de cola qui avaient éclaboussé sa chemise et sourit.

— J'ai essayé de te téléphoner plusieurs fois, mais la ligne était toujours occupée. Quand je suis arrivé chez toi, tu n'étais pas là. Je n'y comprenais plus rien. J'étais certain que tu serais à la maison, puisque la ligne était occupée.

— C'est étrange, dis-je. Tu as peut-être composé un mauvais numéro.

Je savais que je souriais comme une idiote, mais c'était plus fort que moi.

— Puis, voyant qu'ici la fête battait son plein, j'espérais t'y trouver.

Il promena son regard sur le salon bondé. La musique jouait à tue-tête, mais je n'avais aucun mal à entendre ce qu'il disait. Je concentrais toute mon attention sur lui.

— Hé! s'écria Bobby.

Il se tenait devant Robin, lui bloquant le passage, les bras croisés sur la poitrine.

— Qui t'a invité ?

— Personne. Justement, j'allais partir, dit Robin.

Il posa sa main sur mon épaule et me guida à travers le salon.

Les invités étaient entassés dans la pièce et pendant que nous nous frayions un chemin vers la sortie, les odeurs de la transpiration et de la bière me donnèrent la nausée.

— Excusez-moi, excusez-moi, répétai-je à mesure que nous avancions.

Sur le seuil de la porte, il nous fallut enjamber un autre couple enlacé.

L'air frais à l'extérieur me fit un effet rafraîchissant. Derrière nous, la porte vibrait au rythme de la musique. La nuit noire me parut douce après la chaleur et le bruit assourdissant de la fête.

— On dirait que Bobby ne te porte pas dans son cœur, fis-je remarquer à Robin.

— Je ne l'aime pas beaucoup, moi non plus.

Robin m'emmena au *Royaume du beigne* où l'on commanda des beignes au citron et du chocolat. Un homme et une femme étaient assis à l'une des tables du fond. On apporta nos plateaux à la table près de l'entrée. J'observai la fumée qui montait en spirales de ma tasse de chocolat tout en mordant dans mon beigne.

— J'ignorais que Bobby était parent avec votre amie, Laurie Jacques, dis-je.

— Qui t'a parlé de Laurie ? demanda brusquement Robin.

— C'est Sophie. Elle m'a dit que la mère de Laurie avait enfin reçu une lettre d'elle.

— C'est ce que j'ai entendu dire.

— Pourquoi a-t-elle fait une fugue ?

Robin haussa les épaules d'un air impuissant.

— Je ne sais pas. Pourquoi les jeunes quittent-ils leur foyer ? Parce qu'ils ont des problèmes chez eux, je suppose.

— Je croyais que c'était votre amie, à toi et au reste de la bande. Vous ne la connaissiez donc pas très bien ?

— Je ne sais pas.

Il hésita.

— Je ne sais pas réellement ce que ça veut dire connaître une personne. On peut savoir qui était son professeur en troisième année, connaître sa date d'anniversaire et savoir qu'elle aime la pizza ; on peut parfois deviner ce qu'elle va dire. Puis tout à coup, elle vous prend par surprise.

— Comme lorsqu'elle est partie.

— Ouais, approuva-t-il d'une voix accablée. Pourquoi t'intéresses-tu tant à Laurie ? Tu ne l'as jamais rencontrée.

Je lui parlai du livre que j'avais trouvé chez Bobby.

— Je me suis dit que c'était une dédicace assez étrange qu'elle avait adressée à son demi-frère. À ton avis, qu'est-ce qu'il y avait exactement entre eux ?

De nouveau, Robin haussa les épaules.

— Je sais que la mère de Laurie était paranoïaque au sujet de Bobby. Elle trouvait qu'il exerçait une mauvaise influence sur Laurie. Quand elle a découvert qu'ils passaient beaucoup de temps ensemble, elle a piqué une crise et a imposé un couvre-feu à Laurie. C'était ridicule.

— Je comprends tout de même son point de vue.

Robin sourit.

— Oui ; Bobby n'a rien du gendre idéal, n'est-ce pas ? Madame Jacques détestait le voir constamment chez elle.

— Mais elle ne pouvait lui interdire de rendre visite à son père.

— C'est bien vrai. Le problème, c'est que madame Jacques ne se rendait pas compte que rien ne pouvait empêcher Laurie de fréquenter Bobby. Elle disait à Laurie que Bobby ne pouvait pas venir quand elle était seule à la maison, mais comment pouvait-elle l'obliger à obéir ? Madame Jacques était rarement chez elle. Les Jacques venaient d'acheter une imprimerie et ils travaillaient tard presque tous les soirs. Alors Laurie a continué à faire ce qu'elle voulait et madame Jacques, à piquer des crises.

— Tu ne manges pas, dis-je en voyant qu'il n'avait pas touché à son beigne.

Il baissa les yeux.

— Je n'ai pas très faim.

— Est-ce que tu crois que Bobby a eu des nouvelles de Laurie ?

95

— Ce n'est pas à moi qu'il faut le demander. Bobby et moi, on ne se parle plus.

Il sourit tristement.

— Est-ce qu'on peut parler d'autre chose? Je sais que ces histoires t'intéressent, mais pour moi qui la connaissais, c'est plutôt déprimant.

— Je crois que je vais échouer en physique.

Un sourire radieux éclaira le visage de Robin.

— La physique, voilà un sujet qui ne me fait pas peur! Pourquoi échouerais-tu en physique? Ce n'est pas monsieur Maheu qui t'enseigne, j'espère?

— Non. C'est monsieur Doiron.

Il eut l'air soulagé.

— Tant mieux. Monsieur Doiron connaît bien sa matière, au moins. Apporte ton manuel de physique et je t'aiderai. Si on n'y arrive pas à deux, on demandera à Stéphane. Il est très doué pour la physique.

Robin sourit.

— C'est pour ça que je te cherchais…

— Pour m'aider à résoudre mes problèmes de physique? demandai-je, perplexe.

— Non, pour t'inviter au chalet de mes parents, au bord de la rivière. Nous serons tous là: Vanessa, Stéphane, Rémi. La bande, quoi.

Soudain, j'eus peur de lui dire que j'acceptais. J'avais un trac fou. Je me sentais comme une doublure qui vient d'apprendre que l'actrice en vedette s'est cassé une jambe. «Puis-je le faire? Est-ce que je vais leur plaire?» Ces quelques secondes où je demeurai interdite me parurent une éternité.

En voyant que je ne répondais pas tout de suite, Robin parut troublé.

— Tu pourras partager une chambre avec Vanessa, ajouta-t-il. C'est elle qui apporte la nourriture, d'habitude. C'est une excellente cuisinière.

Sa voix inquiète m'apaisa et, de nouveau, je parlai facilement.

— Est-ce que je dois apporter quelque chose? lui demandai-je.

— Rien que ton agréable petite personne.

Il fixa ses mains timidement.

— J'ai souvent entendu ma mère dire ça.

— Elle a l'air gentille.

— Oui. Elle l'est. Elle l'a toujours été.

Il me vint à l'esprit que le petit discours de Robin à propos des personnes que l'on pense connaître s'appliquait davantage à sa mère qu'à Laurie.

— Je pourrais passer te prendre vers huit heures, suggéra-t-il. Le chalet est à une demi-heure de route d'ici. Ce n'est pas un palais, mais c'est confortable. Selon les prévisions de la météo, il fera plus chaud demain. On pourra peut-être descendre la rivière en pneumatique. Il y a un endroit en amont où l'on peut louer de grosses chambres à air.

Je songeais à quel point ce serait merveilleux de ne pas rester seule toute la fin de semaine. Maintenant, j'avais aussi un endroit où aller et des amis avec qui m'amuser. Je n'étais plus la pauvre fille abandonnée.

En même temps, j'étais anxieuse. J'ignore pourquoi, mais, tout à coup, je remarquai que la femme assise à la table du fond pleurait. Son visage ruissellait de larmes. L'homme tendit la main et lui toucha le bras. Je détournai vivement le regard.

« Il n'était pas question que je me fasse du souci à propos de la fin de semaine », me dis-je. C'était ma chance d'être avec Robin et j'allais en profiter.

— Nous reviendrons dimanche après-midi, dit Robin.

— C'est une idée merveilleuse, dis-je en lui souriant chaleureusement.

Dix

Cher journal,

J'ai bien dû compter un millier de moutons, mais impossible de m'endormir. Il y a quelques heures à peine, quand Robin m'a invitée à son chalet, je défaillais de bonheur ; maintenant, j'ai la frousse.

Le visage de Laurie apparaissait sans cesse parmi les moutons. Lorsque je suis avec Robin, je suis tellement obnubilée par sa présence que j'en oublie Laurie ; mais ensuite, je regrette qu'il ne m'ait rien dit de plus à son sujet. Je ne sais pas exactement quoi, mais quelque chose d'autre. Car nous sommes de plus en plus proches, n'est-ce pas ? Ne devrait-il pas avoir envie de m'en dire davantage ?

En tout cas, tout ce que je vois, c'est que Laurie m'empêche de dormir.

Lorsque je posai mon stylo et fermai mon journal, j'avais la peau toute moite. Le prénom de

Laurie n'arrêtait pas de tourner encore et encore dans ma tête. Qu'est-ce qui me tracassait à son sujet ? Je ne l'avais même jamais rencontrée. Plutôt étrange, la façon dont elle avait soudain disparu sans laisser aucune trace. Que s'était-il passé entre elle et Bobby ? Peut-être s'étaient-ils disputés avant qu'elle ne disparaisse. Ce qui expliquerait tout. Sinon, pourquoi serait-elle partie sans lui ? Elle était peut-être désespérée. J'avais l'impression que son visage se cachait derrière un voile, qu'un mystère l'entourait. J'avais fait la connaissance de ses amis et de son copain : j'avais vu sa photo ; mais j'ignorais complètement quel genre de personne elle était et je ne trouvais aucune explication à sa fugue.

J'étais certaine de ne pouvoir fermer l'œil ; je me rendis donc dans la cuisine pour boire un verre de lait chaud. L'horloge en plastique accrochée au mur indiquait quatre heures dix. Elle ronronnait doucement. Le réfrigérateur gronda, laissa tomber quelques glaçons dans le distributeur, puis se tut. J'éprouvai soudain l'impérieux désir de m'assurer que Laurie et ma mère, ainsi que tous ceux qui souffraient et se sentaient perdus, étaient sains et saufs. Mon cœur battait à tout rompre, comme si je m'étais tenue au bord d'une falaise.

Le lait chaud me brûla la langue. Pourquoi étais-je si agitée ? L'anxiété m'avait gagnée. C'était pendant ces heures froides de la nuit que mes craintes se manifestaient le plus clairement. Telles des lumières aux couleurs pâles émanant d'un projecteur, elles prenaient vie et forme lorsque les rideaux étaient tirés et que l'obscurité s'installait.

Je tombai sur les bandes dessinées dans le journal et les lus. J'avais mal à la tête et j'étais convaincue que l'on découvrirait bientôt que le nouveau locataire de l'héroïne était un meurtrier en série. Je pliai le journal et me dirigeai à contrecœur vers ma chambre.

En me glissant sous les couvertures, je songeai que mon insomnie était due à la nervosité que j'éprouvais à la veille de la fin de semaine. Je voulais absolument me faire aimer de Robin et de ses amis. Sinon, j'étais condamnée à rester la nouvelle élève anonyme qui espionne jalousement les autres.

Je fermai les yeux et m'imaginai en train de peindre un énorme chiffre trois. «Mon bras est de plus en plus lourd», me dis-je.

Au matin, Robin arriva avec quelques minutes de retard. Le soleil était bas et voilé ; les arbres dans la cour jetaient de longues ombres ; l'air sentait bon. La rosée s'écoulait en petits ruisseaux rouge sang sur le capot de sa Corvette. Quand Robin ouvrit le coffre, je vis que celui-ci était rempli en prévision de la fin de semaine : un étui à guitare, des boîtes de longues allumettes, des paquets de biscuits et des sacs de bretzels, des piles, des livres et des magazines.

La voiture, qui m'avait paru si basse la première fois que j'y étais montée, me semblait maintenant absolument parfaite. Je me blottis dans le siège rembourré et m'y sentis plus à l'aise et en sécurité que dans mon propre lit.

— Ce n'est pas bien loin, dit Robin au moment où nous démarrions. Les autres vont nous rejoindre là-bas. Attends de voir ça !

Son visage s'éclaira.

— C'est un monde différent. Dans la forêt, au bord de la rivière, loin de tout.

Il ne parut pas attendre ma réponse et sa voix grave se perdit dans le vrombissement du moteur et le bruit du vent à l'extérieur. Je m'endormis presque immédiatement.

Lorsque la voiture s'immobilisa, je me réveillai en sursaut et me rappelai mon rêve. J'avais rêvé du visage de Laurie Jacques ; il était aussi inexpressif que si elle était morte. Sa bouche était légèrement entrouverte et ses yeux n'avaient pas de pupilles. Le sang coulait en un mince filet sur son visage, comme de la sueur. Mon cœur battait toujours la chamade. C'est avec soulagement que je me souvins de la rosée sur la voiture de Robin, qui ressemblait à du sang. Voilà pourquoi j'avais fait ce rêve. Il ne fallait pas chercher plus loin. C'était seulement l'association d'idées.

— Nous y sommes, dit Robin doucement.

Je joignis les mains et étirai mes bras. Le sentiment de malaise qu'avait provoqué mon mauvais rêve fondait comme neige au soleil. J'avais les jambes molles. Si j'essayais de me lever, mes genoux céderaient et je m'affaisserais comme une poupée de chiffon.

Robin ouvrit le coffre et commença à poser les sacs à terre. À travers la vitre, j'aperçus les pins qui se dressaient au-dessus de nos têtes ; ils formaient une voûte de verdure qui laissait filtrer quelques rayons de soleil sur le sol et les feuilles mortes. Je descendis de la voiture avec précaution, le souffle coupé, saisie devant le calme de la forêt.

Sur la façade, le chalet était construit en forme de A. Des chambres à coucher s'ajoutaient à l'arrière. Non loin de la voiture se trouvait un conduit muni d'un robinet. J'appris plus tard qu'il avait été utilisé pour dépanner en attendant l'installation d'un évier et l'aménagement d'une salle de bains à l'intérieur du chalet. Un escalier en bois menait à un palier, puis à la porte d'entrée peinte en rouge. La maison semblait construite en verre ; mais, en l'examinant de plus près, on s'apercevait que les murs des chambres étaient en bois et que seuls le salon et la cuisine étaient revêtus de verre.

— Ça te plaît ? demanda Robin.

— C'est parfait.

— Ce n'est pas très grand, dit-il d'un air qui voulait être modeste. Mes parents l'ont construit eux-mêmes avant ma naissance. C'est incroyable, n'est-ce pas ?

— Ça doit leur avoir pris un temps fou.

— Des années, je crois. Ils en parlaient comme de « la maison de l'amour ». Ils ont même dû dormir à la belle étoile en attendant le jour où ils achevèrent l'installation du toit.

Il se dandina d'une jambe sur l'autre, d'un air emprunté.

— Je ferais mieux de rentrer tout ça.

Il gravit l'escalier.

Robin laissa tomber les sacs avec un bruit sourd près de la porte pour chercher sa clé.

— Pourquoi as-tu l'air aussi sérieuse tout à coup ?

Il me regarda d'un air amusé.

— J'ai une folle envie de profiter de la vie : *carpe diem*, comme on dit ! La vie est si courte : commençons par le dessert.

Je soulevai un sac à provisions et le suivis dans l'escalier.

— Tu parles comme Stéphane. Il dit qu'il est inutile de se préoccuper d'une chose qui n'arrivera pas avant ses trente ans.

— Tous les fumeurs disent ça.

— C'est vrai. Bien sûr, s'il vit jusqu'à cent ans…

— Quand on fume, les chances d'atteindre cent ans sont plutôt limitées.

— Tu as raison. En plus, on risque de grossir si on ne mange que du dessert.

Il sourit, ramassa les sacs, poussa la porte avec son pied et entra.

— Ça sent le renfermé ici. On ferait mieux d'ouvrir quelques fenêtres.

À l'intérieur, les planchers de bois cirés reluisaient. Une cheminée décorait l'un des murs du salon où étaient disposés des fauteuils et un canapé en chintz à motifs rose tendre. D'un côté se dressait une étagère remplie de livres qui traitaient d'escargots, d'oiseaux et d'araignées, ainsi que de quelques romans et albums pour enfants déchirés. Un comptoir séparait la cuisine de la table en bois rectangulaire. Près de la fenêtre, au-dessus de la cuisinière, pendaient des casseroles, des batteurs à œufs et des passoires. Un jeu de cuillères en bois était rangé dans une tasse en céramique bleue.

Robin ouvrit la fenêtre de la cuisine et le chant d'un oiseau moqueur emplit la pièce.

— J'aime le chant des oiseaux, dis-je. Quelquefois on les entend gazouiller la nuit, comme s'ils se parlaient entre eux. Les oiseaux ont une vie secrète. J'en suis certaine.

— Pourquoi pas ? dit Robin. Nous en avons tous une.

Robin me dévisagea, mais je fus incapable de prononcer un mot. Je craignais qu'il puisse déchiffrer mon lourd passé sur mon visage.

Robin détourna les yeux comme s'il avait senti ma gêne et voulu m'accorder un moment de répit, et regarda par l'immense fenêtre du salon.

— D'habitude, on voit la rivière d'ici, mais il n'a presque pas plu ces derniers temps ; aussi le niveau de la rivière est très bas. Je me demande parfois si ma mère a la nostalgie de cet endroit ; mais je n'ose pas lui poser la question.

— Est-ce que ça t'arrive de lui rendre visite ?

— Bien sûr que je lui rends visite. Elle n'est pas morte, tout de même !

— Je sais. Je n'y avais pas pensé.

— Il n'y a plus que moi qui vienne ici maintenant. Avec mes amis. Mon père ne vient jamais. Je suis le gardien de la flamme, je suppose.

Il sourit tristement.

Je posai les sacs à provisions sur le comptoir et restai immobile un moment. Robin passa ses bras autour de ma taille. Son souffle était chaud sur ma nuque et son nez me chatouillait.

— Tes cheveux sentent si bon, chuchota-t-il. J'ai passé la soirée d'hier à craindre que tu ne finisses par ne pas venir. Je n'arrêtais pas de penser qu'une comète allait s'abattre sur ta maison ou que ton ancien petit ami allait se manifester. Jusqu'à la dernière minute, j'ai même rêvé que je me rendais chez toi et que ton père me bloquait le passage.

— Il y a autre chose qui te tourmente ?

En riant, je me retournai pour lui faire face.

— Certainement. Bien d'autres choses.

Il sourit.

— Je n'en ai énuméré que quelques-unes.

— Est-ce que tu crois que ça ennuiera les autres que je sois venue ? demandai-je, un peu inquiète.

— Bien sûr que non ! dit-il en évitant mon regard et je sus qu'il mentait.

J'aurais voulu que Sophie Voyer ne m'ait jamais dit que la bande de Robin n'était pas très accueillante. «Ce n'était pas vrai», me dis-je. Ils étaient tout simplement un peu timides. Même

Rémi n'avait pas été complètement hostile. Je n'arrivais pourtant pas à me convaincre qu'un seul d'entre eux serait sincèrement content de me voir.

Le bruit d'une voiture rompit le silence qui régnait dans la forêt et quelques instants plus tard, Rémi entra en trombe.

— Salut, haleta-t-il.

— Salut, répondit-on à l'unisson.

Il posa deux grosses bouteilles de jus de canneberge sur le comptoir.

— Je ne me souvenais pas à quel point c'était loin, dit-il. J'étais certain d'avoir oublié de tourner quelque part. Attendez de voir ce que j'ai.

Il sortit en coup de vent; on put entendre ses pas marteler l'escalier en bois. Une minute plus tard, il était de retour avec un petit tourne-disque.

— Il fonctionne à piles, expliqua-t-il fièrement.

Il le posa sur une petite table devant le canapé.

— Avez-vous déjà entendu chanter Édith Piaf? Je n'arrive pas à croire que je ne l'avais jamais entendue avant aujourd'hui. Quand tout le monde sera là, je vous ferai écouter son disque. Il faut que vous entendiez ça.

Il ouvrit une armoire dans la cuisine, s'empara d'un verre et le remplit de jus de canneberge. Il avait l'air d'être chez lui au chalet.

— Ce truc regorge de vitamines, dit-il après l'avoir bu d'un trait. Je vivrai probablement très longtemps.

— Ouais, dit Robin d'un ton dégagé. Mais à quoi bon?

Onze

*...Je ne comprends pas. La fin de semaine
venait à peine de commencer et je la trouvais
déjà très agréable. Et il a fallu que Robin
fasse cette remarque si triste et si morbide.
J'ai eu alors le sentiment qu'il se trouvait à
des années-lumière de moi.*

*Pourquoi Robin en aurait-il assez de vivre
alors qu'il a toute la vie devant lui? Et que
voulait-il insinuer en disant que tout le
monde a une vie secrète? Je me demande s'il
essaie de me dire quelque chose que je ne
comprends pas.*

Le sourire mélancolique de Robin me donna un
tel coup au cœur que je dus me détourner.

Rémi posa son verre. Il s'était fait une moustache en buvant son jus de canneberge et il l'essuya
du revers de la main.

— J'ai reçu un appel de monsieur Leduc avant
de partir, dit-il d'un air renfrogné.

— Voilà que le directeur téléphone chez toi maintenant?

Robin était surpris.

— Nous avons de gros problèmes. Quelqu'un envoie des messages obscènes aux enseignants par le biais des ordinateurs.

— Rémi a un emploi à temps partiel: il s'occupe du système informatique de l'école, expliqua Robin. En fait, il a même créé plusieurs programmes que l'école utilise.

— Le pouvoir!

Rémi sourit. Mais son expression redevint vite sévère.

— J'aimerais bien découvrir qui se cache là-dessous. Ces gens ont du culot, en tout cas, de toucher à mes ordinateurs!

— Il s'agit probablement d'une simple plaisanterie, fit remarquer Robin. Et personne ne cherche à s'en prendre à toi.

— En tout cas, ça m'énerve.

Rémi fronça les sourcils.

— Si je pouvais mettre la main sur les coupables, je leur flanquerais une de ces frousses! Ils n'oseraient plus jamais toucher à un ordinateur de leur vie. S'ils veulent envoyer des messages obscènes, pourquoi ne pas les envoyer par la poste comme tout le monde? Pourquoi me mêler à leurs histoires? Monsieur Leduc veut que je découvre comment ils ont réussi à s'infiltrer dans les ordinateurs, et que j'essaie de les empêcher de recommencer.

Il renifla d'un air méprisant.

— Il ne semblait pas comprendre que je ne peux pas faire grand-chose. J'ai tenté de lui expliquer que tant qu'à interdire l'accès aux ordinateurs, autant ne pas en avoir du tout. Mais le QI de monsieur est inférieur à sa pointure de chaussures.

Il regarda autour de lui.

— Où sont donc Stéphane et Vanessa ?

— Ils sont en route, répondit Robin. Je suppose qu'ils sont partis plus tard.

Un instant plus tard, on frappait à la porte.

— J'y vais, dis-je.

Quand j'ouvris la porte, Stéphane et Vanessa trébuchèrent dans l'entrée. Ils avaient les bras chargés de sacs à provisions.

— Salut, dit Stéphane.

— Salut, tout le monde, dit Vanessa.

Sans poser les sacs, elle embrassa Robin sur la joue. Celui-ci la débarrassa des sacs et en déposa un sur le canapé. Le sac se renversa et des livres se répandirent partout.

— Donne-moi le sac à provisions, dit Vanessa.

Elle s'en empara, se dirigea vers le comptoir de la cuisine et commença à retirer du sac fruits, légumes, sacs de croustilles et paquets de biscuits.

Stéphane rangea une douzaine d'œufs et un pack de six canettes de boisson gazeuse dans le réfrigérateur.

— J'ai promis à Annick que nous l'aiderions à résoudre ses problèmes de physique, annonça Robin.

Stéphane grogna.

— Tout ce dont je rêvais ! Encore de la physique. Hé ! j'ai une idée ! Quelqu'un devrait appeler la police — en gardant l'anonymat, bien sûr — et accuser monsieur Doiron de mauvais traitements. Qu'en dites-vous ?

— Écoutez tous. Il faut que vous entendiez ça.

Rémi tripota le tourne-disque et un murmure éraillé se fit entendre : *Non, rien de rien. Non, je ne regrette rien.*

— Qu'est-ce que c'est que ça ? s'écria Stéphane. D'où ça vient ?

Rémi et Vanessa répondirent en même temps.

— Du tourne-disque, dit Vanessa.

— C'est français. N'a-t-elle pas une voix magnifique ? demanda Rémi.

— Je ne regrette rien, répétai-je.

— C'est probablement un mensonge, grommela Robin.

— C'est un vieux disque, expliqua Rémi. Je l'ai trouvé dans le garage. Comment peut-on ranger quelque chose d'aussi merveilleux dans un garage ? Heureusement, il ne porte aucune trace de moisissure.

J'étais très étonnée qu'un fanatique des ordinateurs comme Rémi puisse éprouver une telle admiration pour une chanteuse morte depuis longtemps. Lorsque la chanson fut terminée, une autre mélodie se mit à jouer. Je n'y prêtai guère attention, car les doigts de Robin touchèrent les miens et j'eus du mal à me concentrer durant un moment. Il me fixait de ses yeux pâles. À la lumière du jour qui emplissait le chalet, debout si près de lui, je vis une fine ligne brune qui entourait ses pupilles et les faisait paraître plus grandes qu'elles étaient en réalité. Tout autour d'elles jaillissaient des rayons de bleu clair, de gris délavé et de vert pâle. Je lui souris; je me sentais ridicule, mais c'était plus fort que moi.

— Cette chanson est ennuyeuse, dit Rémi en soulevant le bras de lecture avec impatience.

Non, rien de rien… Le disque recommençait.

Stéphane se figea.

— Combien de fois encore veux-tu faire jouer ce truc?

— Ça ne te plaît pas? demanda Rémi avec innocence. C'est une magnifique chanson.

— Il fait très beau, s'empressa de faire remarquer Vanessa. Je pense qu'on devrait aller en amont de la rivière et louer des chambres à air.

— Qu'est-ce que je dois mettre? demandai-je en paniquant tout à coup.

— Tu n'as qu'à mettre des jeans comme moi, dit Vanessa.

— N'oublie pas la glacière, cria Rémi. On pourrait l'attacher à la chambre à air et avoir à boire tout en descendant la rivière. Tu as toujours ta glacière en polystyrène, Robin?

— Il ne fait pas bien chaud, dit Vanessa. On n'aura pas besoin de se rafraîchir. Allons-y.

Rémi souleva l'aiguille du tourne-disque et la

chanson recommença de nouveau.

— C'est un vrai chef-d'œuvre, dit-il. Je l'adore.

Stéphane fit soudain un pas vers Rémi, mais Vanessa le retint en posant une main sur sa poitrine.

— Rémi, tout le monde n'a pas les nerfs solides comme toi. Pourrais-tu arrêter de faire tourner ce disque? Allez, sortons d'ici.

Personne ne savait si la petite boutique de location serait ouverte à cette période de l'année, mais on décida de tenter notre chance. On partit à deux voitures. Nous avions prévu d'en laisser une en aval afin de pouvoir remonter à la boutique quand nous aurions terminé notre descente. Je montai avec Robin, Vanessa et Stéphane, alors que Rémi prit place dans sa vieille guimbarde verte.

Ça me faisait tout drôle de me retrouver sur la banquette arrière de la voiture de Stéphane, blottie contre Robin cette fois, et de sentir son odeur mêlée à celle de la fumée de cigarette. Bien du temps semblait s'être écoulé depuis le jour où je m'étais assise sur cette banquette; il s'était passé tellement de choses. Je baissai les yeux et vis les doigts de Robin qui prenaient ma main. « Voilà! pensai-je. Voilà ce que j'attendais. »

— Rémi est insupportable, grommela Stéphane entre ses dents. Il sait qu'il m'énerve et il le fait exprès.

Vanessa m'adressa un sourire gêné.

— On pourrait peut-être se détendre un peu, non?

Stéphane rugit en dévoilant ses dents blanches et droites.

— Couché, mon tigre.

Vanessa lui caressa les cheveux.

— Rémi ne se rend pas compte à quel point il nous tape sur les nerfs.

— Annick prétend que si, dit Robin; elle pense qu'il le fait exprès.

— C'est ce que j'ai dit! s'exclama Stéphane. Vous voyez, Annick est d'accord avec moi. Ça prouve que j'ai raison. J'ai un témoin impartial.

— Nous devons nous assurer que Rémi se sente apprécié, intervint Vanessa d'une voix apaisante. C'est très important pour lui de se sentir important.

— Et alors? dit Stéphane. Je ne suis pas sûr de moi. Toi non plus. Robin non plus. Je ne connais pas encore très bien Annick, mais je parie qu'elle ne l'est pas plus. Pourtant, aucun de nous ne fait tourner une chanson stupide encore et encore jusqu'à…

Il repoussa ses cheveux en arrière d'un coup de tête nerveux.

— Ça agacerait n'importe qui.

La voiture de Rémi s'immobilisa sur le bas-côté devant nous et Stéphane arrêta la sienne derrière lui.

— Est-ce que nous sommes assez loin de la boutique de location? nous cria Rémi. Trop loin? Qu'en pensez-vous?

— Ça me paraît parfait, répondit Robin. Monte, Rémi.

Rémi réussit à se glisser sur la banquette arrière avec Robin et moi.

— On se croirait dans l'arche de Noé, maugréat-il. Tout le monde est en couple. Il va falloir que je me trouve une petite amie, si ça continue.

— Ce n'est pas comme ça que je vois les choses, dit Vanessa. Et toi, Robin? Stéphane? Une bande d'amis: voilà ce que nous sommes.

— Tu n'as pas toujours été seul, dit Stéphane. Qu'est-il arrivé à Brigitte Guimond?

— Brigitte Guilbault, corrigea Vanessa gentiment.

— Elle était laide et, en plus, complètement stupide, répondit Rémi. Elle est persuadée que le calcul est une substance qui s'accumule sur les murs des douches.

— Mais comment s'appelle la substance qui s'accumule sur les murs des douches? demanda Stéphane.

— Beurk! fit Vanessa.

— C'est le terme technique? demanda Stéphane.

— De plus, continua Rémi en ne relevant pas les paroles de Stéphane, je cherche une femme plus féminine.

En disant cela, il dessina une taille de guêpe avec ses mains.

Je tentai de me tenir aussi loin que possible de Rémi dans le peu d'espace qui restait. Je n'avais pas rencontré pareil macho depuis la sixième année.

La boutique de location n'était qu'une grande

cabane. Elle était décorée d'une peinture qui s'écaillait et surmontée d'une enseigne de Coca-Cola rouillée. De grandes boîtes peu profondes étaient empilées sur des blocs de ciment d'un côté de la cabane.

— C'est là-dedans qu'ils conservent les vers que les pêcheurs viennent acheter, expliqua Vanessa. Les vairons et les écrevisses sont dans les barils de métal près de la porte. Je me suis toujours demandé de quoi ils se nourrissaient.

Elle se pinça les lèvres et son visage verdit légèrement.

— Est-ce que ça va ? demandai-je en m'avançant vers elle.

Elle sourit d'un air incertain.

— Ça ira.

Elle se retourna brusquement et rejoignit les autres d'un pas vif.

J'observai un moment les barils d'écrevisses tout en songeant aux corps jetés dans la rivière ; on les retirait de l'eau pour découvrir, à l'autopsie, que ces personnes avaient été tuées d'une balle dans la tête. Les doigts des cadavres n'avaient souvent été qu'à peine mordillés par les écrevisses et les crabes.

En jurant intérieurement, je courus rejoindre Vanessa. Je laissais mon imagination débridée prendre le dessus. C'était l'un de ces étranges moments dont je me souviendrais plus tard comme d'une expérience presque métapsychique ; comme si j'avais déjà deviné ce qui allait se passer.

De grosses chambres à air gonflées étaient empilées devant la cabane ; sur chacune d'elles était inscrit un numéro. Le propriétaire de la boutique, qui sentait fort le poisson et le tabac, nous loua des pneumatiques pour l'après-midi. On laissa nos chaussures et nos portefeuilles dans la voiture fermée à clé, puis après avoir roulé le bas de nos jeans, on avança dans l'eau avant de sauter sur les chambres à air.

— Aïe ! fit Vanessa. C'est froid !

— Tu vas t'habituer, dit Rémi qui claquait des dents.

Le soleil nous réchauffait le visage et les bras de ses faibles rayons. Le pire ne fut pas de s'habituer à l'eau froide, mais d'éviter les rochers. Le niveau de la rivière était si bas que nous touchions souvent le fond rocailleux du lit de la rivière. Même si les pneumatiques parvinrent à flotter à un ou deux endroits, il nous fallut nous aider de nos mains à plusieurs reprises.

Le revers de mes jeans donnait l'impression d'être figé par la glace autour de mes genoux. Mes fesses, qui trempaient dans l'eau froide, perdaient peu à peu toute sensibilité. Mes sous-vêtements étaient collés à ma peau et m'irritaient.

— J'abandonne, annonça Robin au bout d'un moment tout en se relevant.

Il avait de l'eau à mi-mollets.

— Rentrons à pied.

On se leva tous en même temps, comme si on

obéissait d'une seule voix à ses ordres. Le fond de nos jeans pendait lourdement et de l'eau glacée ruisselait le long de nos jambes. En marchant avec précaution entre les rochers, on remonta sur la berge, nos orteils s'enfonçant dans la boue. Chargés des énormes chambres à air qui se balançaient au bout de nos bras, on retourna à la boutique de location.

Le propriétaire était assis sur une chaise berçante et nous observait d'un air amusé, la joue gauche gonflée d'une chique de tabac.

— Vous abandonnez déjà ?

Stéphane secoua la tête.

— Le niveau de la rivière est trop bas.

L'homme cracha un filet de jus brun dans une boîte de conserve vide, qu'il replaça soigneusement sur la rampe du balcon.

— C'est un printemps sec, dit l'homme. Je ne me rappelle pas en avoir vu de plus sec.

— Nous reviendrons cet été, dit Robin en souriant.

Il était d'un naturel courtois. Je me rappelai qu'il m'avait dit à quel point sa mère était aimable. Il l'était tout autant.

— Profitons de ce que nous sommes là, dit-il, pour rapporter du bois.

On chargea le bois dans le coffre de la voiture, quelques bûches à la fois.

— Ce bonhomme savait que le niveau de la rivière était trop bas pour descendre en chambre à air, gémit Rémi en montant dans la voiture. Nous aurions dû exiger de nous faire rembourser.

Robin lui lança un regard de travers.

— D'accord, dit Rémi avec mauvaise humeur, *tu* aurais dû exiger un remboursement.

Je n'avais pas remarqué que Robin avait payé la location de la chambre à air de Rémi. Ça ne coûtait que deux dollars et j'avais sorti l'argent de mon portefeuille sans réfléchir. Je me demandai si la famille de Rémi avait connu de graves ennuis financiers et si c'était pour ça que Robin avait payé pour lui. Peut-être que Rémi avait une bonne excuse pour être un vrai salaud ; cela expliquerait pourquoi les autres étaient aussi patients avec lui.

Après avoir déposé Rémi à l'endroit où il avait laissé sa voiture, on retourna vite au chalet.

— Quel est le métier du père de Rémi ? demandai-je.

— Il est conseiller d'affaires, répondit Vanessa évasiment. Il parcourt le monde entier. La mère de Rémi est travailleuse sociale. C'est drôle, non ?

— Qu'est-ce qui est drôle ?

J'en conclus à regret que la famille de Rémi était loin d'être pauvre.

— Y a-t-il quelqu'un de plus arriéré que Rémi ? demanda Vanessa. Tu l'as entendu parler des femmes ? C'est un porc.

— Quand on aborde ce sujet, il est difficile de l'arrêter, renchérit Stéphane.

Je décidai qu'il valait mieux m'abstenir. Selon moi, Rémi était déjà assez insupportable comme ça, même quand il s'efforçait d'être gentil.

De retour au chalet, on enfila tous des vêtements secs et on pendit nos jeans à la rampe du palier. Malgré le temps doux de cette journée de printemps, je me dis qu'il leur faudrait six mois pour sécher. Une fois à l'intérieur, Stéphane et Vanessa, à mon grand étonnement, sortirent papier et crayons, et s'attaquèrent à la difficile tâche de m'expliquer quelques problèmes de physique. Vanessa était patiente et savait à tout coup déceler les notions que je n'arrivais pas à comprendre. Stéphane, de son côté, avait l'esprit vif et répondait aux questions à la vitesse de l'éclair. Il soulignait des liens, formulait des analogies et allait même jusqu'à faire des rimes pour m'aider à me souvenir de certaines règles. Ils s'occupaient de mon travail comme s'il s'agissait du leur, sans la moindre trace d'impatience. Des feuilles sur lesquelles ils avaient griffonné des formules commençaient à joncher le sol, tandis que les pages de mon manuel de physique s'assouplissaient à force d'être tournées. J'avais mal au dos et je me sentais coupable de les voir sacrifier leur samedi à m'aider.

— J'apprécie réellement ce que vous faites pour moi, dis-je.

— Ça nous fait réviser, n'est-ce pas, Van? demanda Stéphane.

— Mais bien sûr! approuva Vanessa. On adore la physique.

— Ça nous aide à approfondir nos connaissances.

Stéphane m'adressa un sourire si chaleureux que je compris pourquoi Vanessa l'aimait.

Plus tard, on alla tous se promener sur un sentier dans le bois, nous tenant en équilibre sur de vieux rondins pourris et sautant par-dessus des ruisselets boueux. Le sentier moussu était couvert de fougères et jonché de feuilles mortes et d'aiguilles de pin. En pataugeant dans un ruisselet froid et peu profond, on attrapa des salamandres. Incolores, elles n'étaient pas plus grosses que des vairons et frétillaient dans nos mains. Je fus troublée par le contact de cette créature vivante dans la paume de mes mains et la laissai tomber. Elle disparut aussitôt dans l'eau.

Rémi connaissait le nom de tous les arbres.

— Rémi est plus savant que n'importe quel manuel de botanique, déclara Vanessa. Nous avons de la chance de l'avoir avec nous.

Fatigués, on retourna au chalet, où l'on s'effondra sur le canapé et sur les chaises. Stéphane, Vanessa et Rémi sortirent un jeu de cartes et jouèrent à la dame de pique. Je remarquai que Rémi trichait, mais l'idée de le dénoncer ne m'effleura même pas. Je me ressentais de ma nuit sans sommeil ; j'étais étourdie et un peu désorientée. Je feuilletai un livre pour enfants que je trouvai sur l'étagère : *Arthur en vacances*. J'en étais au chapitre cinq — Arthur avait appris comment fabriquer une douche à l'aide d'une boîte en fer-blanc — lorsque je me rendis compte que je mourais d'envie d'un bain chaud avec des tonnes de bulles. Mais je n'avais même plus l'énergie de me lever. J'ouvris un paquet de biscuits et croquai dans un biscuit aux pépites de chocolat. Rémi fit à nouveau jouer le disque d'Édith Piaf. *Je ne regrette rien* envahit la pièce.

— Tu ne peux pas faire jouer une autre chanson, Rémi ? demanda Robin avec précaution.

— Mais c'est la plus belle, insista Rémi. Vous n'aimez donc pas la musique ?

Robin posa son livre.

— J'ai faim, dit-il. Mangeons. On peut t'aider, Vanessa ?

— Tu sais bien que Vanessa ne supporte pas qu'on lui tourne autour pendant qu'elle fait la cuisine, dit Stéphane.

— Ça ira.

Vanessa bondit sur ses pieds.

— Je vais préparer des trucs simples. Donnez-moi vingt minutes. Pendant ce temps, vous n'avez qu'à laver la laitue.

Le repas de Vanessa s'avéra un festin. Quand on eut terminé, Rémi tapota son ventre plat.

— C'était aussi bon que de faire l'amour avec une nymphomane. Je crois que je vais te garder, Vanessa.

Le regard plein de sous-entendus de Vanessa croisa le mien.

Je l'aidai à débarrasser la table. Robin et Stéphane, qui tenaient à s'éloigner de Rémi, se levèrent d'un bond et lavèrent la vaisselle. Ils astiquèrent même la cuisinière. Malgré les bruits de vaisselle, j'entendais le disque d'Édith Piaf qui tournait. Rémi semblait déterminé à rendre Stéphane fou.

Douze

… Pas même Rémi — qui, en passant, est deux fois plus agaçant quand on se trouve coincé avec lui entre les quatre murs d'un chalet — ne peut gâcher ce moment. (Non, je ne vais pas commencer à me demander pourquoi il fait partie de la bande. De toute façon, mes réponses ne sont jamais les bonnes. Alors autant avoir des pensées plus gaies et admirer Robin.)…

Après le souper, on se rassembla auprès du feu tandis que les flammes jetaient de longues ombres dans la cuisine. Les grandes fenêtres du salon étaient d'un noir d'encre, comme si la forêt avait disparu à l'extérieur.

Je m'emparai de mon journal et commençai à écrire.

Aujourd'hui, au chalet de Robin, j'ai senti que ma vie se mettait en place pour la pre-

mière fois. Je sais que cette bande, ce lieu et
Robin sont tout ce que je cherchais.

Rémi s'étendit de tout son long sur le canapé en grignotant un biscuit. Stéphane était affalé dans un fauteuil, laissant pendre une jambe soutenue par l'un des accoudoirs. Vanessa était assise sur son autre jambe, un bol en acier inoxydable sur les genoux, et écossait des haricots. J'étais assise par terre en tailleur, adossée au canapé, et écrivais. Robin était couché sur le ventre, appuyé sur les coudes, et fixait le feu, comme hypnotisé.

Mon stylo hésita.

— Je voudrais pouvoir rester ici pour l'éternité, dis-je.

— Quoi ?

Deux fossettes creusèrent les joues de Vanessa.

— Et renoncer à toutes nos ambitions ?

— Quelle est la tienne ? lui demandai-je.

— Aller au collège Saint-Mathieu, bien sûr. C'est ce que je souhaite le plus au monde, admit Vanessa. J'espère être acceptée en lettres.

— Tu le seras, la rassura Stéphane.

— Et ensuite, je veux écrire des livres de recettes de cuisine, devenir célèbre, avoir de merveilleux enfants et donner de somptueuses réceptions où l'on discute des grands problèmes de l'humanité en savourant de la mousse au chocolat et du café.

— Il faut que je sois admis en sciences pures à Saint-Mathieu.

Stéphane serra les dents.

— Ça va marcher, roucoula Vanessa. Ne te fais pas tant de souci.

— Stéphane est inscrit au tableau d'honneur.

Robin sourit.

— C'est mon père qui aurait aimé avoir un fils avec autant de talent.

— Comme si tes notes étaient désastreuses, protesta Stéphane.

— Le père de Robin veut que son fils devienne médecin, intervint Rémi.

— Qu'est-ce que tu as véritablement envie de faire ? demandai-je à Robin.

— Oh ! il veut devenir infirmier, ou garçon de salle, ou encore technicien de laboratoire, dit Vanessa d'un air espiègle. Robin a le cœur très solide. Quand on a disséqué un chat en classe, j'ai cru que j'allais vomir, mais Robin, lui, ne bronchait pas. On se tenait tous à l'écart et on le laissait faire. Il avait l'air d'adorer couper dans les muscles raidis imbibés de formol.

Elle frissonna.

— C'était intéressant, déclara Robin. Chaque jour, on avait droit à un organe différent. Le jour du foie, c'était quelque chose !

Il sourit.

— Tu es bizarre, le taquina Vanessa. Regardez comme ses yeux s'embuent quand il parle du foie !

J'étais perplexe.

— Je ne comprends pas. Si la médecine t'intéresse et que ton père est prêt à payer pour t'envoyer à la faculté de médecine, pourquoi ne pas y aller et devenir médecin ?

— Je ne voudrais pas lui donner cette satisfaction, répondit Robin.

Il se releva tant bien que mal et, le dos tourné, se mit à tisonner le feu.

— Et bien entendu, Rémi espère être accepté à l'Institut d'informatique, continua Vanessa. Mais même s'il y est admis, il n'y restera pas jusqu'au diplôme, car il abandonnera pour se faire son premier million.

— Tu sais, Rémi, tu devrais t'attendre au pire. À l'Institut, tu vas rencontrer beaucoup de gens plus brillants que toi, dit Stéphane.

— Impossible ! s'écria Rémi avec indignation.

— Mais personne n'aura jamais autant d'assurance que toi, ajouta Vanessa. Et pour ma part, je t'inviterai toujours à mes réceptions, mon cher Rémi, quoi qu'il arrive.

Rémi s'étrangla de rire.

— Comme si ça m'empêchait de dormir ! Quand on est riche, on n'a pas à s'en faire. On a plein d'amis et plus d'invitations à dîner qu'on ne peut en accepter !

— Bien sûr, dit Stéphane. Tu peux toujours acheter tes amis, n'est-ce pas ?

— Et toi, Annick ? demanda Vanessa. Quelle est ta plus grande ambition ?

— C'est d'éviter la prison.

Je haussai les épaules.

Il y eut un long silence et je vis Stéphane et Vanessa échanger un regard. Je sentis le sang me monter à la figure.

— Ce que je veux dire, bafouillai-je, c'est que je finirai bien par me débrouiller d'une façon ou d'une autre. J'ai fait une demande d'admission dans plusieurs établissements, mais je n'ai pas vraiment pris le temps de réfléchir à mon avenir.

— Pourquoi t'en faire ? demanda Rémi. Comme tu es une fille, tu te marieras de toute façon.

— Non, pas du tout, répondis-je. Le mariage est la plus grosse farce du siècle. Une robe blanche en dentelle, des fleurs, une réception et tous ces invités : c'est de l'escroquerie. Un homme et une femme sont le point de mire de la famille et des amis durant toute une journée, et cela est censé les convaincre que leur mariage est le début de quelque chose de merveilleux ; alors qu'en réalité il s'agit simplement de deux étrangers qui vont vivre ensemble. Bientôt, un bébé tout rouge et braillard vient s'ajouter et ses parents ne connaîtront plus jamais une nuit de sommeil décente.

— Hum ! Quelle façon pessimiste de voir les choses, dit Robin.

Il était pâle et fixait le sol.

— Tu as dû vivre une mauvaise expérience, commença Vanessa doucement. Ça ne se passe pas toujours comme ça.

— Mes parents sont toujours mariés, dit Stéphane,

esquissant un pauvre sourire. Ceux de Vanessa aussi. Ils ont l'air assez heureux.

Robin était maintenant accroupi devant le feu. Son visage reflétait la chaleur des flammes et le tirage de la cheminée soulevait légèrement ses cheveux.

— J'aurais aimé avoir une famille.

— Tu n'as pas besoin d'une famille, Robin, rétorqua vivement Vanessa. On est là, nous.

Le vent s'engouffra dans la cheminée et fit danser le feu. Robin hocha la tête et regarda les flammes fixement en prêtant l'oreille. J'entendis également le vent dans les arbres, comme un long soupir.

— Le temps est en train de changer, fit-il remarquer. Vous entendez?

Rémi tendit le cou pour lire par-dessus mon épaule.

— Regardez un peu ça! Annick n'écrit pas en français!

— Tu rédiges ton journal en anglais? demanda Stéphane, intéressé. Moi aussi, j'y ai songé.

— Non! Ce n'est même pas de l'anglais, expliqua Rémi. C'est du baragouinage. Il n'y a aucune voyelle.

Je fermai mon journal en rougissant.

— Je sais! Cette demoiselle est... hongroise! s'exclama Vanessa. Et de sang royal!

— Laissez-la tranquille, ordonna Robin.

— Sérieusement, dit Stéphane, dans quelle langue écris-tu?

— C'est un code, admis-je.

Ils me dévisagèrent tous d'un air interdit.

— C'est une espionne, dit Rémi. Je le savais. Surveillez vos paroles.

— C'est devenu une habitude, expliquai-je, le visage brûlant. Je le fais depuis des années. C'est un simple code. Je l'ai inventé moi-même et maintenant, je l'utilise sans même y penser.

— Tu crois que j'arriverais à le déchiffrer ? demanda Robin.

Je le laissai s'emparer de mon journal.

— Vaut mieux pas ! l'avertit Stéphane. Tu pourrais découvrir quelque chose que tu aurais préféré ne pas savoir.

Robin observa une page.

— Il n'y a aucun danger. Je ne déchiffre aucun mot.

— Je parie que je réussirais, dit Rémi. Donne-le-moi.

— Arrête, Rémi, intervint Vanessa. Tu n'aimes pas qu'on vienne jouer dans tes ordinateurs, n'est-ce pas ?

Rémi s'allongea de nouveau sur le canapé.

Je pris le journal des mains de Robin et l'enfouis dans mon sac.

— Ce ne sont que des observations banales, mes impressions, des trucs comme ça. C'est plutôt ennuyeux.

— C'est la première fois que j'entends parler de quelqu'un qui utilise un code pour écrire son journal, dit Rémi. Ça m'intrigue.

Il me regarda avec curiosité.

— Oh ! allez ! dit Vanessa. Tu as dit toi-même, Rémi, que les codes te passionnaient. Pourquoi t'en prends-tu à Annick parce qu'elle en a créé un ? C'est une sorte de passe-temps.

— C'est exactement ça : un passe-temps, affirmai-je avec reconnaissance. Il y a des années que je fais ça. J'en écris des pages et des pages. Ça m'aide à comprendre les choses.

— Je devrais peut-être m'y mettre, dit Robin d'un ton pince-sans-rire. Je ne comprends plus rien à grand-chose.

— Je n'ai jamais écrit de journal, déclara Rémi.

— Ouais, mais c'est parce que tu es presque illettré, dit Stéphane.

— Et toi, tu as déjà tenu un journal ? lui demanda Rémi d'un air défiant. Il n'y a que les filles qui font ça. Elles écrivent en lettres à grosses boucles avec des cœurs au-dessus des i ; elles ferment le petit verrou qu'on peut ouvrir avec un trombone ; et tout ce qu'elles font, c'est parler de ceux qui les aiment et de ceux qui ne les aiment pas. C'est une pure perte de temps.

— On croirait presque que tu as lu le journal de ta sœur, le taquina Vanessa.

Rémi rit.

— Je l'ai fait. Mais c'était tellement ennuyeux ! J'ai été incapable d'aller jusqu'au bout.

— C'est parce qu'elle utilisait un code, comme Annick, dit Vanessa. Chaque fois que tu lisais « je crois que Richard m'aime », cela voulait dire « Rémi est un crétin ».

— Très amusant, dit Rémi avec aigreur. Comme si ma petite sœur pouvait inventer un code en sixième année.

— C'est à cet âge que j'ai créé le mien, lâchai-je.

Robin tira une boîte de sous le canapé.

— Quelqu'un veut jouer au scrabble ?

— Prends garde, Annick. Pour Robin, le scrabble est un sport violent, dit Stéphane.

— Pas cette fois, je le promets. On jouera seulement pour le plaisir.

— Vous avez vu cette lueur dans ses yeux ? le taquina Vanessa.

En temps normal, j'excelle au scrabble ; pourtant, que ce soit à cause du charme hypnotique du feu ou du regard de Robin qui croisait sans cesse le mien, la partie fut plus romanesque qu'animée par l'esprit de compétition. Je me surpris à écrire des mots parce que je les trouvais amusants.

Stéphane ajouta « zyg » à « ote », ce qui donna zygote dans un espace « mot compte triple. » Mais Robin et moi avons simplement échangé un regard et éclaté de rire.

— Robin est distrait, dit Rémi qui ne jouait pas. Peut-être que je devrais mettre un disque, histoire de nous réveiller un peu.

— Rémi ! dit Vanessa avec rudesse. Ne fais pas ça !

— Peut-être qu'on devrait aller se coucher, dit Robin en se levant. Je suis mort de fatigue.

— C'est ça. Annulez la partie au moment où je mène par soixante points, protesta Stéphane tout en bâillant.

J'entendais le vent qui soufflait maintenant plus fort dans les branches. Il faisait froid quand je m'éloignai du feu. Le temps était en train de changer. J'avais confié à mon journal tout ce qui s'était passé durant la soirée mais ce n'était plus qu'un doux souvenir. Les ombres jetées par les flammes dansaient au plafond ; les murs de la maison ressemblaient à un voile qui frissonnait sous le vent. J'étais étourdie de fatigue. Je flageolais un peu sur mes jambes, étant restée assise en tailleur trop longtemps, et je m'agrippai au dos du canapé pour maintenir mon équilibre.

— Annick est sur le point de s'évanouir, dit Robin. Nous aurions dû aller nous coucher depuis plus d'une heure.

Vanessa embrassa Stéphane et je la suivis dans la première chambre, où étaient disposés deux lits jumeaux. Après la chaleur du feu, l'air de la pièce me fit l'effet d'une douche froide ; pourtant, la porte était demeurée ouverte et la chaleur du feu en avait fait la plus chaude des trois chambres.

Trop fatiguée pour même songer à prendre un bain, j'ouvris mon sac et enfilai mon pyjama. Lorsque Vanessa se déshabilla, je fus étonnée de voir sa silhouette svelte et parfaite. Sans m'en rendre compte, je m'étais imaginé qu'elle était négligée et mollasse, un peu à l'image de ses vêtements. Une faible lampe jetait une lueur orangée dans la chambre, mais la lumière n'atteignait pas les recoins pleins d'ombres.

Je soulevai un coin de la courtepointe qui recouvrait mon lit et m'assis.

— Attention aux souris, me prévint Vanessa. Elles se réfugient parfois dans le chalet durant l'hiver. En enfilant un soulier trop vite un matin, j'ai senti tout au fond une petite boule de poils.

Je me glissai sous les couvertures avec précaution et presqu'aussitôt, mon orteil effleura quelque chose. Je bondis et posai les pieds sur le plancher de bois en moins de deux. Je claquais des dents.

— J'ai touché quelque chose.

— Tire la courtepointe, suggéra Vanessa. Ça devrait la faire fuir.

Ça ne m'intéressait pas tellement de voir une souris trotiner sur mes orteils et je demeurai figée, indécise.

Vanessa tira bravement les couvertures et découvrit une chaussette enroulée.

— Oh! non!

Elle laissa tomber les bras le long de son corps et fixa la chaussette, horrifiée.

— Ce n'est qu'une chaussette, lui dis-je.

— C'est celle de L-Laurie, bégaya Vanessa.

Puis, se remettant de ses émotions, elle ajouta:

— Elle portait toujours des chaussettes pour

dormir. Elle prétendait qu'elle avait les pieds les plus froids du monde.

— Et ce n'était pas vrai ?

— Je n'en sais rien. Je n'ai jamais dormi avec elle.

Je clignai des yeux.

Vanessa se mit au lit ; elle claquait des dents.

— Nous devrions laisser la porte ouverte pour profiter de la chaleur qui émane encore du foyer, dit-elle. De toute évidence, le temps s'est refroidi dehors.

— D'accord, approuvai-je bien que les ombres que jetaient les flammes rendissent la pièce sinistre.

Je lançai la chaussette sous le lit et remontai la courtepointe jusqu'à mon menton.

— As-tu eu des nouvelles de Laurie depuis qu'elle s'est enfuie ? demandai-je.

— Non.

Vanessa se tut un moment.

— Mais elle a écrit à sa mère. C'est du moins ce qu'on raconte. Elle dit qu'elle va bien.

— Personne ne sait pourquoi elle est partie ?

— Sa mère est persuadée qu'elle est enceinte, répondit Vanessa. Elle croit qu'elle a filé pour éviter les reproches de sa famille.

Je me souvins alors de l'inscription passionnée dans le livre qu'elle avait donné à Bobby, et je me dis qu'il s'agissait d'une explication plausible.

— Tu crois que c'est ce qui s'est réellement passé ?

— Pas vraiment. Madame Jacques refuse tout simplement d'admettre que Laurie ait pu quitter la ville à cause d'elle, alors que personne n'a de mal à le croire. Madame Jacques est détestable.

— Il paraît que Laurie et toi étiez de bonnes amies.

Vanessa tourna la tête vers moi. J'entrevis l'ovale de son visage pâle dans la faible lumière qui vacillait.

— Qui t'a dit ça? me demanda-t-elle.

— Sophie Voyer, je crois. Elle se trompait?

— On était souvent ensemble. On s'entendait bien. Mais à y réfléchir… je ne sais pas. Laurie était très timide. Je n'étais pas très au courant de ses problèmes.

« C'est évident », pensai-je.

— Il n'y avait rien entre Robin et Laurie, n'est-ce pas? demandai-je avec un peu d'anxiété.

— Oh! non!

La réponse prompte de Vanessa me rassura.

— Ils étaient bons amis, c'est tout. Laurie avait toujours été là, un peu comme Rémi. Je sais que ça paraît incroyable, mais, en première année, nous étions tous dans la même classe. Plus tard, Robin et Rémi allaient toujours à la même colonie de vacances et Laurie et moi avons passé ensemble trois étés consécutifs à la colonie de la Montagne. Je ne sais pas comment expliquer ça: certaines personnes font tout simplement partie de notre vie. C'est difficile de savoir à quel moment ça commence.

— Ce que tu veux dire, c'est que, malgré tout, on finit par découvrir qu'on ne les connaît pas aussi bien qu'on le croyait?

— En quelque sorte. Je connais très bien Stéphane. Et Robin. Et Rémi.

Elle fit une pause.

— Je pensais connaître Laurie. Je ne sais plus. Je suis trop fatiguée pour penser à tout ça.

Elle se retourna, mettant fin à la conversation.

Ça m'était bien égal de prendre la place de Laurie et de dormir dans le lit où elle avait oublié une chaussette. Je m'assis dans le lit et cherchai mon journal à tâtons. Je m'emparai du stylo qui était glissé à l'intérieur et me mis à écrire à la lueur des flammes dansantes.

Treize

Cher journal,

Je ne sais plus trop quoi penser. D'après ce que j'ai entendu dire, Laurie faisait partie de leur bande ; pourtant, Vanessa est étrangement froide quand elle parle d'elle.

Laurie a été assez folle pour abandonner tout ça. Je ne serai pas aussi stupide. Ce bonheur est tout ce que j'ai toujours attendu de la vie. J'aime ce chalet, l'odeur du feu, les ombres qui dansent, l'air frais et pur qui me chatouille les narines quand j'inspire profondément dans cette petite chambre. Je sens la paix de cet endroit s'infiltrer dans mon sang et couler dans mes veines.

J'ai le sentiment qu'en m'invitant ici Robin m'a fait cadeau de cet endroit. Il veut que je sois ici. Il a besoin de moi. Comment je peux en être certaine, ça je l'ignore ; mais je le suis.

À neuf heures, lorsque Vanessa et moi nous sommes levées, je pouvais entendre le bruit monotone de la pluie. La porte entrebâillée dévoilait un rectangle de lumière indiquant que quelqu'un était déjà debout. La douche coulait et Robin frappait à grands coups dans une porte.

— Rémi ! hurla-t-il. Ne prends pas toute l'eau chaude. Nous sommes cinq ici, tu te souviens ?

Rémi se mit à chanter en gazouillant.

— Non, je ne regrette rien…

Stéphane préparait du café dans la cuisine quand on sortit de la chambre.

— Bonjour.

Il posa un baiser sur les lèvres de Vanessa, puis l'entoura de ses bras et l'embrassa de nouveau.

— Miam-miam ! Tu goûtes bon. Il va falloir que je te mange.

— Rémi va prendre toute l'eau chaude, annonça Robin d'un air sombre. Il fait semblant de ne pas m'entendre.

Vanessa et Stéphane soupirèrent en chœur, puis commencèrent à fouiller avec entrain dans le réfrigérateur, les tiroirs et les armoires, en retirant casseroles et poêlons, œufs et bacon. Ils demandèrent à Robin de râper du fromage, mais un seul coup d'œil dans ma direction suffit apparemment à leur faire comprendre que je ne leur serais guère utile. Je mangeai une tranche de pain grillé et contemplai la table en tentant de réprimer la nausée qui me submergeait. Je ne suis pas toujours au meilleur de ma forme le matin.

J'entendais le tintement des couverts et sentais

le bacon qui crépitait dans un poêlon. Comme Rémi sortait de la salle de bains enveloppé d'un nuage de vapeur, le déjeuner fut posé sur la table : feuilletés chauds aux fruits, bacon croustillant, œufs brouillés au fromage. La vue et l'odeur de tant de nourriture aussi tôt le matin, c'était plus que je n'en pouvais supporter.

Rémi, pieds nus et vêtu d'un jean, s'assit au bout de la table, comme si le repas avait été préparé pour lui. Il était rouge comme un homard à force d'être resté longtemps sous la douche chaude et son visage jurait avec ses cheveux roux.

— Tu ne m'as donc pas entendu quand je t'ai demandé de ne pas utiliser toute l'eau chaude ? demanda Robin.

Rémi posa une serviette en papier sur ses genoux.

— Non. La douche fait un tel boucan. De toute façon, je chantais.

— Il vaudrait mieux pour toi ne plus jamais chanter cette chanson, dit Stéphane d'un ton glacial.

— Quelqu'un parmi nous n'a pas encore bu son café ce matin, fit remarquer Rémi en beurrant ses rôties. On ne le nommera pas, mais il est plutôt désagréable le matin. Ton tempérament fougueux t'a déjà causé des ennuis, Stéphane ?

Stéphane blêmit ; on aurait dit que Rémi l'avait frappé au ventre. J'éprouvai immédiatement de la sympathie pour lui. J'avais, moi aussi, été la victime de la curiosité malveillante de Rémi. En même temps, j'étais curieuse. De quoi Rémi pouvait-il bien parler ? Tout ce que je savais de Stéphane, c'est qu'il faisait preuve de patience et d'une gentillesse exquise. Même l'altercation que Sophie m'avait rapportée révélait que c'était Vanessa qui avait perdu son sang-froid, pas Stéphane. Je me surpris à penser que je les connaissais encore très mal.

Je fus soulagée de me lever et de m'éloigner de ces plats regorgeant de nourriture. J'apportai mes vêtements dans la salle de bains et pris une douche froide, gardant le peu d'eau chaude qu'il restait pour me laver les cheveux.

Une fois habillée, je lavai la vaisselle pendant que les autres passaient sous la douche l'un après l'autre. Un peu plus tard, nous étions prêts à partir et commencions à mettre nos bagages dans les voitures. Nous nous affairions sous l'eau qui dégouttait des arbres et le brouillard nous enveloppait de froid. Tout ce que nous touchions était moite et humide. On finit de charger les derniers sacs et Robin verrouilla la porte du chalet.

Il pleuvait à torrents au moment de notre départ. J'entendais la pluie qui tambourinait sur le toit de la voiture et qui giclait sous les pneus. Le vent la rabattait avec une telle force contre le pare-brise qu'on n'y voyait plus rien ; j'avais l'impression de me trouver sous l'eau. On aperçut soudain les feux arrière d'un camion à travers le pare-brise ruisselant. Je retins mon souffle un instant en me rappelant toutes ces histoires de voitures de sport ayant été aspirées sous des camions.

Le clignotant de la voiture s'alluma; Robin voulait essayer de le dépasser. Je n'osais pas regarder le compteur de vitesse, car nous roulions déjà au-dessus de la limite permise. Je concentrai plutôt mon attention sur la double ligne continue que je distinguais à peine au milieu de la route; elle disparut bientôt sous nos roues. Les vitres des portières étaient embuées et je n'aurais pu dire où nous nous trouvions, mais il s'agissait à l'évidence d'une zone de dépassement interdit. J'avais l'épaule plaquée contre la portière lorsque la voiture changea de voie. Puis je vis pâlir les articulations de Robin et je sentis les pneus patiner. Le camion vrombit et accéléra. J'avais le souffle coupé par la terreur tandis que nous dérapions, attirés dans le sillage du mastodonte. La voiture partit en un dérapage incontrôlé avant de s'immobiliser brutalement. Le capot rouge de la Corvette s'était arrêté à quinze centimètres à peine du garde-fou. Les phares de la voiture éclairèrent le garde-fou durant plusieurs secondes avant que Robin ne se retourne pour me regarder. Il ne prononça pas un mot, moi non plus. Nous étions en état de choc.

Enfin, Vanessa apparut derrière la vitre du côté de Robin; elle paraissait irréelle, fantomatique à travers la vitre couverte de buée. Robin baissa la vitre et des gouttes de pluie ricochèrent jusque sur moi. La pluie tombait toujours avec force et l'eau ruisselait sur le visage de Vanessa. Ses cils mouillés formaient des pointes et ses cheveux étaient plaqués à son front en mèches désordonnées.

— Vous n'avez rien ? hurla-t-elle pour couvrir le bruit de la pluie.

Je hochai la tête, incapable de parler.

— Qu'est-ce qu'il te faut pour te convaincre de ralentir, Robin ? cria-t-elle. As-tu perdu la tête ? Est-ce la mort que tu cherches ? Je voudrais bien que tu m'expliques pourquoi tu conduis ainsi. Autant nous le dire tout de suite que tu es devenu fou !

Stéphane posa une main sur son épaule et, à son contact, Vanessa cessa de crier. Elle demeura plantée là, haletante, pâle et furieuse. Stéphane tenait un journal au-dessus de sa tête pour se protéger de la pluie. Sa chemise qui lui collait à la peau était de couleur chair.

— On est content de voir que vous n'êtes pas blessés. Car vous ne l'êtes pas, hein ?

Robin fit un geste de la main.

— Mais non.

Il s'humecta les lèvres et je constatai qu'elles étaient aussi pâles que sa peau.

— On n'a rien.

Sa voix était rauque.

— Te sens-tu capable de conduire ? demanda Stéphane en dévisageant Robin.

— Oui. Ça ira, répondit Robin d'un ton plus ferme.

— Bon, très bien. On ferait peut-être mieux de ralentir, dit Stéphane, afin d'arriver chez nous sains et saufs. On ne voit pas à deux mètres avec cette pluie. Si on ne fait pas attention, on va se retrouver ratatinés sur l'asphalte comme des grenouilles.

Il tendit le journal au-dessus de la tête de Vanessa, puis ils disparurent dans la pluie.

J'essuyai ma vitre embuée et regardai dehors. Robin reprit la route. Lorsque je consultai l'indicateur de vitesse, je vis que nous roulions bien moins vite que la limite permise. On demeura silencieux un bon moment. Robin repoussa les cheveux devant ses yeux.

— Je suis désolé, dit-il enfin.

— Ce n'est pas grave.

— Oui, c'est grave. J'ai été stupide. J'ai failli nous tuer et je te promets de ne plus recommencer.

Cet incident aurait dû me faire réfléchir. Mais après l'avoir échappé belle, je crois que j'étais incapable de penser à quoi que ce soit. J'étais simplement soulagée.

Robin arrêta les essuie-glaces tout en immobilisant sa voiture dans l'allée près de la mienne.

— Je suis très content que tu sois venue, dit-il lorsque nos regards se croisèrent.

— Moi aussi. On s'est bien amusés.

Je retins mon souffle. Comment lui dire que c'était la plus belle fin de semaine de ma vie ? Comment lui dire que je voulais déménager au chalet avec lui et y demeurer pour toujours parce que je n'avais jamais été aussi heureuse ?

— Ce fut très agréable, ajoutai-je.

Il se pencha vers moi et mon nez toucha sa joue.

— Ton nez est froid, fit-il remarquer en le pinçant doucement entre ses doigts.

Il frotta son nez contre le mien d'un air taquin avant de poser ses lèvres sur les miennes. Je sentis ses doigts chauds caresser ma joue. Puis sa langue toucha doucement la mienne; une chaleur se répandit en moi.

— Mmmm…

Il s'écarta de moi et me regarda en souriant.

J'avalai ma salive et humectai mes lèvres, mal à l'aise.

— Je ferais mieux de rentrer.

— Non. Restons ici pour toujours.

Je ris.

— Non, vraiment je dois rentrer.

Je posai un baiser sur sa joue et ouvris toute grande la portière, comme une automate. La pluie me fouetta le visage.

— Il pleut à boire debout!

Robin courut vers le coffre et l'ouvrit. Il passa mon sac par-dessus son épaule tandis que je cherchais la clé de la maison à l'aveuglette.

— Attention de ne pas glisser sur les marches! cria-t-il pendant que nous courions vers la maison.

Il jeta mon sac à l'intérieur et entra; puis il me souleva dans ses bras, m'enlaça et m'embrassa. J'étais si trempée que mes chaussures firent un bruit de succion quand il me souleva.

— Je pourrais ne faire que ça toute la journée, dit Robin.

— Sauf qu'il faut nous changer, mettre des vêtements secs et faire nos devoirs.

— Tu m'as eu ! Bon, écoute, je t'appellerai.

Je le regardai courir vers sa voiture et y monter. Il baissa la vitre et me fit un signe de la main. Puis il démarra en faisant crisser les pneus et la voiture s'éloigna en vrombissant sous la pluie.

Quand je me réveillai le lundi matin, j'entendis mon père ronfler dans la chambre voisine. Je passai la tête dans l'embrasure de la porte et l'aperçus, étendu sur le dos, les bras rejetés en arrière vers les colonnes du lit. Ses ronflements sonores emplissaient la chambre et les poils de sa moustache frémissaient à chaque respiration. Il avait le visage tout rouge. Je fermai la porte sans faire de bruit et sortis doucement de la maison.

Dehors, le ciel sombre était chargé de nuages bas et menaçants. À l'école, on avait déposé une grosse pile d'exemplaires du journal étudiant à l'entrée du pavillon Champlain. Des élèves flânaient en feuilletant le journal pour se mettre au courant des dernières nouvelles. Le temps était lourd et humide. De petites bourrasques agitaient les journaux et s'engouffraient dans les blousons des garçons en les faisant gonfler comme des voiles. Les chaussures de sport mouillées grinçaient sur le ciment lisse.

J'étais juchée sur le muret de brique du pavillon Champlain avec Robin, Rémi, Vanessa et Stéphane. Nous bavardions tranquillement à voix basse. Peut-être était-ce ce comportement à part que Sophie qualifiait d'inamical. Je reconnus la voix rauque de Sophie non loin de nous.

— J'ai parlé à sa petite amie hier soir, disait-elle. Elle n'a que quelques égratignures et des ecchymoses. Quant à lui, on le soigne pour une blessure à la tête. Il portait sa ceinture de sécurité, mais sa tête a heurté le volant. Heureusement que quelqu'un a été témoin de l'accident ! Ils auraient pu rester bloqués dans la voiture durant des heures. À cette période de l'année, rares sont ceux qui montent jusqu'à la Cime.

Chacun des mots que prononça Sophie résonna dans ma tête. Il aurait aussi bien pu s'agir de Robin et de moi.

Je sursautai quand un des garçons qui venait de s'emparer d'un exemplaire du journal s'adressa à nous.

— Hé ! Stéphane ! dit-il. N'est-ce pas à la Cime que vous avez l'habitude d'aller faire des excursions ? Je parie que vous avez des droits sur la table à pique-nique qui s'y trouve. J'ai entendu parler de vos festins. J'aimerais bien me faire inviter.

— Oublie ça, Michel, intervint son voisin. L'instructeur t'a recommandé de perdre du poids.

— Il y a longtemps qu'on est allés là-bas, dit Stéphane.

— Sans blague ? dit Michel, manifestement surpris. Je croyais que vous y passiez tout votre temps.

— Non, pas du tout.

Stéphane semblait être sur ses gardes.

— On va plutôt au chalet de Robin depuis quelque temps.

— Je ne suis jamais allée à la Cime, dis-je. C'est joli ?

— On y voit les chutes, répondit Sophie spontanément en tournant son visage rond vers moi. Mais c'est d'en bas qu'on a la plus belle vue. Qu'est-ce que ça donne de regarder les chutes d'en haut ? C'est en bas qu'on reçoit l'écume et tout. Il faut que tu voies ça, Annick. C'est une attraction touristique.

— Les chutes n'ont pas coulé depuis des semaines à cause de la sécheresse, fit remarquer Robin.

— Et quelle sécheresse ! s'exclama une blonde qui observait le ciel gris d'un air soucieux. Maintenant, la rivière va déborder si la pluie continue à tomber.

La sonnerie marquant le début du premier cours retentit et je me laissai glisser le long du muret. J'hésitais à quitter les autres, même si je savais que nous allions nous revoir dans quelques heures pour dîner. Notre amitié en était encore au stade où tout ce que nous faisions ensemble était, à mes yeux du moins, terriblement excitant. J'étais impressionnée par l'intelligence de Rémi et émue devant la passion qui animait Stéphane et Vanessa. Et puis, il y avait Robin. Aucun garçon ne m'avait jamais autant plu.

L'interphone grésilla au moment où j'entrai dans la classe.

— Tous les élèves qui ont fait une demande d'admission au collège Saint-Marc ou au collège

Laurier-Dubois sont priés de se rendre au gymnase immédiatement pour rencontrer les responsables des inscriptions.

Presque tous les élèves de ma classe se levèrent en même temps et se bousculèrent vers la porte de sortie.

— Je parie que les demandes ont brûlé dans un incendie, dit une fille avec nervosité.

— Je sais déjà que je suis acceptée, dit une voix inquiète. Les autorités n'ont pas le droit de modifier leur décision. J'ai déjà reçu ma lettre d'acceptation.

Les couloirs fourmillaient d'élèves de 5e secondaire qui avaient fait une demande d'admission au collège Saint-Marc, au collège Laurier-Dubois ou encore aux deux. La pluie avait commencé à tomber; le trajet jusqu'au gymnase fut mélancolique et ponctué des cris de mécontentement que poussaient les élèves qui se faisaient bousculer dans des flaques d'eau.

Une fois au gymnase, on erra sans but durant de longues minutes. Bon nombre d'entre nous s'installèrent sur les gradins. Nous portions tous des jeans et des chaussures de sport. Si les responsables des inscriptions étaient parmi nous, ils étaient bien cachés! Je me dis qu'ils avaient dû être retardés et qu'ils ne tarderaient pas à arriver. Dix minutes s'écoulèrent pendant lesquelles le volume sonore des conversations s'éleva dans le gymnase.

— Je te cherchais partout, dit Robin qui s'assit à côté de moi.

— Je suis du genre tranquille, lui dis-je en souriant.

— C'est encore un tour de ce plaisantin, dit-il.

Il ajouta, voyant que je ne comprenais pas :

— Tu paries qu'il s'agit de la même personne qui a photocopié cinq cents avis annonçant que le Club des meilleurs élèves servirait de la bière gratuitement après la présentation de *L'importance de l'honnêteté* ?

— Je n'en ai jamais entendu parler.

— Les avis n'ont pas été distribués ; voilà pourquoi le scandale a été évité. Madame Ostiguy les a trouvés dans son bureau. Aucune trace du farceur, à part une photocopieuse fumante.

Une dame d'une cinquantaine d'années fit irruption dans le gymnase, l'air anxieux, et parut stupéfaite d'y trouver autant d'élèves. Elle tapota nerveusement ses cheveux rebelles, s'éclaircit la voix et nous assura qu'il s'agissait d'une erreur ; il n'y avait pas de rencontre. Une mauvaise plaisanterie, en somme.

— Je te l'avais dit, lâcha Robin en se levant.

— Je me demande si cela a un lien quelconque avec les messages obscènes sur les ordinateurs de Rémi, dis-je.

Robin avait l'air songeur.

— Peut-être. On le saura bien assez tôt.

Il m'aida à descendre des gradins.

— Tôt ou tard, la personne qui a fait le coup se manifestera.

— Tu crois ?

Il sourit.

— Bien sûr. Pourquoi se donner tant de mal pour jouer des tours si on n'en obtient jamais rien ?

On se joignit à la foule qui sortait du gymnase et retournait en classe. Je me sentais en sécurité lorsque Robin passait son bras autour de ma taille, mais je percevais aussi comme une réticence dans ses gestes. «Il avait dû souffrir beaucoup», pensai-je, et je tenais à tout prix à lui dire qu'il pouvait compter sur moi. J'étais fascinée par la couleur pâle de sa peau devant son oreille, là où ses favoris avaient été rasés. Il avait la mâchoire carrée et une longue bouche mince.

— Te souviens-tu comme c'était amusant de jouer dans la boue quand on était enfants ? demanda-t-il. J'aimais bien sentir la boue faire « flic flac » entre mes orteils.

— As-tu déjà fait des pâtés de boue ? Moi, j'adorais ça. Un jour, j'ai tenté d'en faire cuire un. Mais si tu savais comme ça pue quand on le fait cuire !

Robin rit.

— Je me souviens qu'on se couchait par terre et qu'on plantait des bâtons autour de nous.

— On construisait des forts, des grottes ! J'empilais de la terre sur le dessus de ma main, puis je la retirais ; le trou qu'elle y laissait devenait une grotte !

— La vie était beaucoup plus simple alors, soupira Robin avec nostalgie.

En tournant le coin du pavillon administratif, on se retrouva nez à nez avec Bobby Jacques. Il regarda d'abord Robin, puis me dévisagea comme s'il me voyait pour la première fois. Je me sentis soulagée quand il s'éloigna.

— Je ne voudrais pas le rencontrer dans un coin noir, dit Robin.

— C'est vrai qu'il a l'air redoutable. Mais il doit avoir des qualités qu'on ne soupçonne pas. Tu ne crois pas? Sinon, pourquoi aurait-il plu à Laurie?

— Je n'en sais rien. J'ai renoncé à essayer de comprendre ce qui attire les filles chez un garçon. C'est un mystère à mes yeux.

Je lui donnai un coup de poing amical sur le bras.

— Comme si tu avais besoin de t'en faire!

— Tu as raison. Tout le monde te le dira.

Il sourit.

— J'ai horreur de voir l'effet que j'ai sur les filles, la façon dont elles tombent à mes pieds et s'extasient devant moi.

Ses lèvres étaient douces et tièdes sur ma joue et son souffle me chatouilla. Puis il prit ma tête entre ses mains et pressa sa bouche chaude et humide contre la mienne. La pluie tombait dans les flaques en faisant des éclaboussures — ploc, ploc, ploc. Un coup de tonnerre fit trembler soudain les fenêtres du pavillon.

Quatorze

Cher journal,

J'aurais voulu que la fin de semaine dure plus longtemps. Mais nous voici de retour, il faut reprendre la routine. J'ai recommencé à faire mes devoirs et à écouter les voix monotones des enseignants. Tout le monde a l'air déprimé. Peut-être à cause de la pluie.

Je revois sans cesse l'image de Robin conduisant à une vitesse folle, comme s'il voulait fuir quelque chose. Qu'est-ce qui se passe dans sa tête quand il a le regard vide comme ça? Il faut que j'arrête de penser à ça; je deviens morbide. Je crois que ça nous ferait du bien à tout le monde de repartir pour la fin de semaine.

La pluie continua à tomber par intermittence durant une dizaine de jours. La dépression se déplaçait très lentement, appris-je en regardant le bulletin de nouvelles télévisé de dix-huit heures. Le météorologue nous annonça d'un ton joyeux qu'il n'y avait pas de dégagement en vue. À l'épicerie, chez le nettoyeur et même au dépanneur, où j'étais allée m'acheter de la gomme, la pluie était devenue l'unique sujet de conversation. Les employés faisaient une tête d'enterrement et se plaignaient d'avoir oublié à quoi ressemblait le soleil.

À l'école, les planchers des couloirs étaient recouverts de boue et des parapluies mouillés ornaient tous les recoins du secrétariat. Même Sophie n'était plus aussi pimpante et impeccable. Ses vêtements pendouillaient et ses cheveux tombaient mollement sur ses oreilles où scintillaient bravement ses petites boucles d'oreilles. Elle ne m'avait guère parlé depuis que je fréquentais la bande de Robin, mais elle me saluait quand même quand on se croisait.

Heureusement, il ne pleuvait pas tout le temps. Mais l'air était très humide ; nous avions l'impression de vivre au cœur d'une éponge mouillée.

Tous les jours, je dînais avec Robin et les autres à la cafétéria parmi les bruits de plateaux entrechoqués et les odeurs de spaghettis trop cuits. Notre table était un îlot de tranquillité. Même les odeurs y étaient différentes. Vanessa apportait parfois de chez elle des pommes golden bien mûres, du pain croustillant et du fromage de chèvre qui sentait fort et nous faisait l'effet d'une bouffée d'air venue des verts pâturages de la campagne.

Rémi était d'une humeur massacrante, totalement obsédé par la menace d'un virus informatique qui devait se manifester le 4 avril — le jour de mon anniversaire ! Malgré tout, il gardait un sourire forcé pour Vanessa. L'amabilité de Vanessa, tout comme le sourire chaleureux de Stéphane, faisaient maintenant partie de ma vie. Le stylo de Stéphane laissait des taches d'encre noire sur les serviettes en papier tandis qu'il y dessinait des croquis en m'expliquant des problèmes de physique. Des sachets de sel, de poivre et des grains de maïs étaient alignés à intervalles irréguliers pour illustrer des principes de physique.

— Je crois que tu serais capable de comprendre par intuition, commençait Robin avec optimisme, si seulement tu…

Mais je plongeais dans ses yeux mouchetés d'or et perdais le fil de mes pensées.

L'après-midi, Robin et moi passions la plupart de notre temps dans sa Corvette à nous embrasser et à bavarder tranquillement. Je commençai à éprouver un frisson d'émoi et de plaisir quand j'entendais les gens se plaindre du temps ; car, pour moi, les vitres embuées des voitures et le bruit de la pluie qui tombait doucement évoquaient des souvenirs sensuels.

Je fus surprise de voir avec quelle facilité je m'installai dans la routine. Stéphane et Vanessa me parlaient sur le ton de la confidence, comme s'ils me connaissaient depuis des années. Je crois que, d'une certaine façon, ils étaient bien contents d'avoir quelqu'un de nouveau dans leur entourage à qui parler. Même si je me considérais comme une personne très secrète, je réalisai qu'ils devaient me percevoir un peu comme un personnage sorti tout droit d'un téléroman. Ils étaient intrigués par mes boucles d'oreilles de style vaguement hippie, faites de morceaux de jade ou de grenat, d'anciennes pièces de monnaie ou de symboles hindous. De plus, ça les fascinait de me voir écrire mon journal. J'avais surpris Rémi plus d'une fois en train d'en fixer les pages ouvertes dans l'espoir de le déchiffrer.

Ils trouvaient bizarre mon habitude de ne pas manger les M & M rouges, la croûte des tartes, la crème fouettée qui garnissait les tasses de chocolat et les noix des tablettes de chocolat.

— Tu ne manges donc jamais rien en entier ? me demanda Stéphane un jour en examinant mon assiette. C'est à cause de ta religion, d'un traumatisme durant ton enfance ou quoi ?

— Je mange uniquement ce que j'aime, répondis-je sans conviction.

Je suppose qu'ils étaient tellement habitués l'un à l'autre qu'ils étaient devenus trop intimes, d'une certaine façon. Moi, j'incarnais la nouveauté et la liberté. Quant à moi, je me sentais à l'aise parmi eux. J'en arrivai même à aimer l'odeur de fumée qui imprégnait les vêtements de Stéphane.

J'étais si souvent en leur compagnie que je ne pouvais manquer de remarquer l'étrange ambiance qui régnait à cette époque. J'avais ainsi pu observer certaines choses, des choses bien insignifiantes. En y repensant, je comprends maintenant qu'il s'agissait de crises nerveuses. Comme le jour où Vanessa fut soudain prise de nausées quand un serveur lui apporta des crevettes par erreur.

— Non ! Ce n'est pas pour moi ! s'écria-t-elle.

Elle était devenue si pâle qu'elle en était presque verte.

— Les… les fruits de mer, Je n'en mange plus. Parce qu'ils contiennent de l'iode.

Ce dégoût soudain pour les crevettes me parut suspect ; en effet, nous taquinions souvent Vanessa, qui était toujours prête à manger n'importe quoi — du sushi, du calmar et des litchis, mais également des choses aussi insolites que des fourmis recouvertes de chocolat.

— Goûtes-y d'abord, puis je te dirai ce que c'est.

Une phrase que nous l'avions souvent entendue prononcer. Mais, là encore, ce n'était pas grand-chose.

Je m'aperçus plusieurs fois que lorsque je les rencontrais par hasard, ils arrêtaient aussitôt de parler. Après une pause embarrassée, ils reprenaient le fil de leur conversation animée qui portait sur leurs devoirs ou sur le thème de la prochaine soirée dansante.

Je trouvais ce comportement plutôt étrange, d'autant plus qu'aucun d'entre eux n'avait jamais manifesté le moindre intérêt pour les soirées dansantes de l'école. Ce n'est pas que je ne remarquais pas ces petites contradictions. Je dirais plutôt que je refusais de leur accorder de l'importance. Il était plus important pour moi d'entretenir l'illusion que je faisais partie intégrante de la bande. J'avais besoin de croire que nous partagions tout.

Il y eut d'autres incidents. J'avais le souvenir d'avoir entendu, au chalet, des voix étouffées à l'extérieur de ma chambre. Un coup d'œil vers le lit de Vanessa m'avait permis de constater qu'elle s'était levée, mais sans me réveiller. Puis j'avais reconnu la voix de Robin, sans toutefois saisir ce qu'il disait. Leur conversation mystérieuse m'avait intriguée au point de me faire lever sur la pointe des pieds pour aller poser mon oreille contre la porte close. En balançant mes jambes sur le bord du lit, j'avais heurté la lampe. Celle-ci avait oscillé dangereusement et les voix s'étaient aussitôt tues. Je me rappelais m'être levée et m'être glissée de nouveau sous les couvertures. L'incident m'avait paru si dérisoire que je m'étais rendormie immédiatement et n'y avais plus pensé. Plus tard au cours de la journée, il m'avait retraversé l'esprit.

— Qu'est-ce que vous faisiez debout si tôt? avais-je demandé à Robin. Pourquoi ne m'avez-vous pas réveillée?

— J'avais cru entendre un raton laveur, avait-il répondu aussitôt, et je m'étais levé pour le voir.

— Est-ce que tu as vu le raton laveur? avais-je ensuite demandé à Vanessa.

Elle avait eu l'air surprise.

— Le raton laveur qu'on a cru entendre ce matin, avait ajouté Robin.

Il m'apparut évident qu'il avait voulu la mettre en garde.

— Je ne crois pas qu'il s'agissait d'un raton laveur, s'était empressée de répondre Vanessa. Des bruits curieux, c'est tout. Probablement des fantômes.

Sa réponse à peine achevée, elle avait pâli et paru regretter ses paroles.

Il est facile de se rendre compte, rétrospectivement, qu'on me cachait quelque chose ; mais je refusais alors de me l'avouer. J'étais heureuse, ce qui me suffisait. Chaque jour était une aube de promesses.

Nous nous retrouvions souvent, après l'école, à *La Pâte à choux*. J'ai tellement de souvenirs différents de ce petit restaurant qu'ils se confondent les uns avec les autres : les taches de sucre en poudre sur nos joues et sur nos doigts ; les biscuits en forme de cœur, fourrés à la confiture ; les nuages de vapeur montant des tasses de chocolat fumant. Toutes ces images sont associées dans ma tête à la pluie qui ruisselait le long des fenêtres et estompait les couleurs du stationnement à l'extérieur. *La Pâte à choux* se mêle dans ma mémoire à la sensation étrange et agréable du sang coulant dans mes veines. Le bonheur me glissait alors entre les doigts…

— Il faut absolument que tu goûtes aux tartelettes Linzer, m'avait dit Robin. C'est une vieille recette de famille que la grand-mère de Georges a rapportée de Bavière.

Georges, le propriétaire de *La Pâte à choux*, était un homme grassouillet, qui portait une queue de cheval grisonnante. Il avait fréquenté le collège en même temps que la mère de Robin et il lui arrivait de s'arrêter à notre table, le visage rougi par la vapeur de la cuisine.

— Comment va notre chère Élisabeth? demandait-il d'une voix aiguë.

— Très bien, répondait Robin.

— Salue-la de ma part, ajoutait Georges immanquablement selon le même rituel.

Je me souviens particulièrement d'un jeudi après-midi où Robin et moi étions arrivés les premiers à *La Pâte à choux*. J'avais commandé une tasse de chocolat et des biscuits. Les lumières étaient allumées, mais ne parvenaient pas à faire oublier le temps sombre et pluvieux.

— J'aimerais tellement retourner au chalet! avais-je dit soudain.

— J'ai pensé qu'on pourrait y aller en fin de semaine, avait répondu Robin, mais le temps n'a pas l'air de vouloir s'améliorer. Regarde-moi un peu ça.

— Qu'est-ce que ça peut faire? avais-je demandé. Nous pourrions quand même faire du feu, jouer aux cartes.

Mon père m'avait prévenue qu'il devait assister à un congrès à l'extérieur de la ville durant la fin de semaine et je redoutais de rester seule à la maison.

Nous avions échangé un regard.

— Pourquoi pas? avait-il dit tout à coup. Parlons-en aux autres.

Vanessa et Stéphane venaient d'entrer dans le restaurant en coup de vent et étaient en train d'enlever leurs manteaux.

— Apporte-moi un thé à la menthe, tu veux bien, Stéphane? avait demandé Vanessa.

Elle avait marché jusqu'à notre table et s'était assise sur le bord de sa chaise, l'air angoissé. Bientôt, Stéphane nous avait rejoints, tenant un plateau où étaient posés deux tasses de thé fumant et deux biscuits en forme de cœur saupoudrés de sucre glace.

— Il paraît que le niveau de la rivière est en train de monter.

Vanessa semblait nerveuse.

— L'eau met du temps à s'écouler des champs jusque dans la rivière; mais si cela se produit, il pourrait bien y avoir des inondations. La… la rivière pourrait sortir de son lit d'ici quelques jours.

Stéphane sirotait son thé. Robin l'observait, l'air songeur. Puis, Stéphane avait repris.

— Les autorités avisent tout le monde de ne pas s'approcher de la rivière. Bien sûr, c'est toujours la même chose. Et… et vous savez ce que ça veut dire. Il y aura plein de cinglés en canot qui tenteront de prendre les chutes en photo. Ensuite, les policiers devront secourir tout ce beau monde. Ils auront même amené leur limier.

Vanessa avait lancé un regard affolé à Stéphane.

— Je ne comprends pas pourquoi les gens ne se servent pas de leur tête, avait dit Stéphane d'un air mauvais.

Je les avais observés tour à tour, essayant de comprendre le pourquoi de leur agitation.

— Nous n'avons qu'à nous tenir loin de la rivière. Après tout, ça ne nous regarde pas, n'est-ce pas ? avais-je demandé.

Vanessa avait éclaté d'un rire étrange et je m'étais tournée vers elle. Elle avait rougi, puis fixé ses mains.

— Il faudra que je ligote Jean-Sébastien, mon frère, avait-elle dit. Il suffit de lui interdire d'aller quelque part pour être sûr de l'y retrouver.

J'avais cru comprendre la raison de la nervosité de Vanessa. Elle se sentait responsable de ses jeunes frères et sœurs, mais elle ne pouvait pas faire grand-chose pour les surveiller. Jean-Sébastien avait douze ou treize ans. Elle ne pouvait quand même pas le mettre dans un parc.

— Ce n'est pas évident, lui avais-je dit avec compassion.

Robin remuait la cuillère dans sa tasse de thé.

— Annick pense qu'il serait amusant d'aller au chalet en fin de semaine. Qu'en dites-vous ?

— J-je pense que c'est une bonne idée.

Vanessa avait lancé un autre regard à Stéphane.

— Nous n'avions rien de prévu. On vous appellera si on a un empêchement. Ou plutôt, je te téléphonerai ce soir quand j'en saurai plus.

J'étais troublée. De grosses veines palpitaient dans le cou de Vanessa et ses mouvements étaient saccadés.

— Est-ce que ça va ? lui avais-je demandé.

— Très bien, avait répondu Stéphane. Mais si cette pluie ne cesse pas, les gens vont devenir agressifs. Ça ne te rend pas folle, toi ?

J'avais rougi.

— Pas du tout ! Je dirais même que ça me plaît.

— Tu parles de goûts pervers ! s'était exclamée Vanessa.

Des taches roses étaient apparues sur ses joues pâles.

— Où est Rémi ? avais-je demandé.

Je me sentais rougir en songeant au temps que je passais à embrasser Robin quand il pleuvait ; j'avais hâte de changer de sujet.

— Il ne viendra pas. Il a reçu un nouveau programme « antivirus » par la poste hier, avait expliqué Vanessa. Il serait d'humeur massacrante s'il était là. Il est en train de devenir complètement paranoïaque.

Cet après-midi-là, j'avais dû me rendre à la pharmacie acheter du shampoing. J'avais été tout étonnée d'apercevoir Stéphane à la caisse. Il était en train de payer trois paires de gants en caoutchouc. En me voyant, il avait changé de couleur.

— Je rénove des meubles, m'avait-il dit avec brusquerie.

Le souvenir de ma mère, dont le travail consistait à rénover des meubles, m'avait submergée avec une telle violence que j'avais eu l'impression de recevoir un seau d'eau glacée sur la tête. Je l'avais regardé fixement, incapable de prononcer le moindre mot.

— Il faut porter des gants quand on applique le décapant, avait-il expliqué en me dévisageant de ses yeux foncés. C'est écrit dans le mode d'emploi.

— Bien sûr.

J'avais avalé ma salive avec difficulté.

— Je sais.

Il m'avait semblé observer Stéphane au ralenti tandis qu'il déposait billets et monnaie sur le comptoir. Les yeux écarquillés, j'avais fixé les mains tremblantes de Stéphane. Je me sentais incapable de parler ou de marcher. «C'est bizarre, m'étais-je dit, déconcertée. Ses mains tremblent comme s'il était coupable de quelque chose, alors que c'est moi, en fait, qui devrais me sentir coupable. C'est moi qui ai abandonné ma mère malade.» On aurait dit une expérience de perception extrasensorielle, comme le jour où mon cœur avait failli exploser quand Robin m'avait téléphoné et que l'horloge était tombée par terre.

Le commis avait ouvert un sac et saisi une paire de gants. On aurait dit une main humaine qui disparaissait dans le sac en papier. J'avais éprouvé la sinistre impression que les doigts flasques me faisaient un signe pour m'avertir qu'ils allaient se noyer. J'avais détourné mon regard, ébranlée, et mes yeux rencontrèrent ceux de Stéphane. Il s'était mordu la lèvre et avait enfoui les mains dans ses poches.

— Ce n'est pas tous les jours que je vends trois paires de gants à un client, avait fait remarquer le commis avec bonne humeur.

Il avait les cheveux blonds et fins, et portait des lunettes à monture invisible.

— Je crois même que c'est la première fois.

Ni Stéphane ni moi n'avions dit un mot.

— Bonne soirée, nous avait dit le commis.

Stéphane avait agrippé le sac de papier.

— Il faut que je rentre chez moi, avait-il dit avant de sortir de la pharmacie comme un ouragan.

En déposant ma bouteille de shampoing sur le comptoir, je me sentais troublée. Je savais pourquoi la vue des gants de caoutchouc m'avait bouleversée. Ce que je ne m'expliquais pas, c'était la réaction de Stéphane, qui paraissait encore plus secoué que moi. On aurait pu dessiner la scène, en mettant en légende, sur le modèle de la chronique de jeux des journaux du dimanche : « Trouvez l'erreur ».

Quinze

... Je crois qu'il est bon d'être sensible à des choses telles que le temps — ça signifie qu'on est attentif à ce qui se passe autour de nous, qu'on ne dort pas debout, pas vrai ? Mais c'est quand même curieux que Vanessa et Stéphane semblent tellement redouter que la rivière déborde, alors qu'ils ne semblent pas s'inquiéter du tout de la disparition de Laurie. Et qu'est-ce que ça peut bien leur faire que quelqu'un joue des tours à Rémi ?

Ils paraissent tous les deux bien fragiles ces temps-ci. À la façon dont Stéphane a réagi à la pharmacie, on aurait cru que je l'avais surpris en train d'acheter une arme, pas des gants de caoutchouc ! Je ne sais jamais si je dois leur parler ou me taire. J'ai quelquefois l'impression que rien n'a vraiment changé depuis notre première rencontre — je suis toujours une étrangère qui ne sait rien de leurs règles.

Quelques minutes après mon retour à la maison, la secrétaire de mon père téléphona pour dire qu'il travaillerait tard. J'avais l'impression qu'il passait de moins en moins de temps à la maison. Je ne pus m'empêcher d'aller dans sa chambre et d'ouvrir les tiroirs de sa commode. Je remarquai que la pile de ses sous-vêtements était mince et celle de ses mouchoirs, encore davantage. Je me demandai s'il n'était pas en train de déménager ses affaires petit à petit dans son attaché-case. Peut-être un jour m'apercevrais-je qu'il ne vivait plus avec moi. Qu'est-ce que je ferais alors ? Qui paierait les factures ? Cette idée me fit frissonner de la tête aux pieds. Je refermai les tiroirs un à un, puis essuyai mes traces de doigts sur les poignées avec le bas de mon t-shirt.

Je me dirigeai vers le salon en m'efforçant de respirer calmement. J'avais peur de m'évanouir. Je m'affaissai dans le long canapé en cuir et plaçai ma tête entre mes genoux. « C'est ridicule », me dis-je. Je savais que rien ne pouvait justifier un tel malaise, sinon un manque flagrant de confiance en moi.

Je retirai mon journal de sous le canapé, où je l'avais laissé. Le stylo se trouvait toujours entre deux pages. Je me mis à écrire, ce qui eut pour effet de me calmer aussitôt. La vue des mots codés — mon langage secret — me réconforta. Dans mon journal, au moins, j'avais la maîtrise de ma vie.

Je retournai à la première page et la fixai. *Ce journal appartient à Annick Ringuet.* Ma vie. Elle était à moi. Pas à ma mère. Pas à mon père. À moi seule.

Alors, je me mis à écrire.

… Je me demande pourquoi je ne parviens pas à attirer l'attention de mon père. Il y a pourtant des gens qui apprécient ma compagnie. Dans mes moments les plus sombres, je me dis parfois que je lui rappelle trop ses propres défauts. Mais comment cela est-il possible ? Je ne suis pas comme lui. En fait, je ne ressemble à aucun de mes parents. Si mon père m'abandonne, je ne vais pas m'écrouler comme ma mère l'a fait. Je finirai par m'en sortir. Je suis plus forte que ma mère ; je dois le croire.

Je peux comprendre pourquoi le divorce l'a déchirée cependant. Je me dis que je pourrais vivre sans mon père, mais le pourrais-je sans Robin ?

De grands coups frappés à la porte me firent bondir. Je restai assise, toute tremblante, tandis que la porte vibrait sous les coups répétés. Finalement, je me levai et courus regarder dans le judas en me hissant sur la pointe des pieds. L'image dans la lentille était si bizarrement déformée qu'on aurait pu croire que Humpty Dumpty cognait à grands coups dans la porte ; toutefois, ce visage déformé m'était vaguement familier. Un nez protubérant et grossi plusieurs fois s'approcha du judas, et la porte trembla de nouveau sous les coups insistants. J'ouvris la porte à la volée et me retrouvai nez à nez avec Bobby Jacques. Il avait le poing levé pour frapper encore une fois et il paraissait si terrifiant avec son air hagard et ses cheveux emmêlés que je reculai involontairement d'un pas.

— As-tu vu Bleu? me demanda-t-il d'une voix angoissée.

— Bleu? répétai-je stupidement.

Je me demandai durant un instant s'il avait perdu la raison.

— Mon chien, Bleu. Est-il venu ici?

— Le setter irlandais? demandai-je.

— Il manque une planche à la clôture et il est disparu.

— Il n'est pas venu ici. Je vais t'aider à le chercher, dis-je impulsivement. Nous pouvons nous séparer et prendre des directions différentes. Depuis combien de temps a-t-il disparu?

— Ça ne doit pas faire bien longtemps. Je lui ai donné à manger il y a une demi-heure.

Je mis mon blouson, m'emparai de mes clés sur la petite table dans l'entrée et verrouillai la porte derrière moi.

— As-tu une photo de lui? Bien des gens ne savent pas à quoi ressemble un setter irlandais. Ça nous aiderait sûrement.

— Attends une minute.

Il courut chez lui et en ressortit avec deux photos.

— Ne la perds pas, dit-il en m'en remettant une. Ce sont les seules que je possède.

— Il nous faudra interroger tous les golfeurs que nous croiserons, dis-je. Ce sont eux qui passent le plus de temps dehors.

Bobby acquiesça. Il avait l'air tourmenté. Le ciel était gris, mais il ne pleuvait pas. Une bande incolore marquait l'horizon comme si la fumée d'un incendie avait envahi le ciel.

Il nous fallut peu de temps pour parcourir le voisinage immédiat. On passa dans des cours à la pelouse détrempée et on frappa même à quelques portes. Certaines cours étaient clôturées, ce qui nous facilitait la tâche. Il était improbable que Bleu ait trouvé refuge sur un terrain clôturé.

J'aperçus Bleu au moment où Bobby et moi allions nous séparer pour aller dans des directions différentes. Il s'était tapi sur la pelouse du club des loisirs, de l'autre côté de la rue, le museau entre les pattes, comme s'il espérait ainsi ne pas se faire repérer.

— Bleu ! criai-je.

On courut vers lui, Bobby et moi. Il agita sa queue acajou et nous regarda d'un air inquiet. Ce n'était peut-être pas le plus intelligent des chiens, mais il savait qu'il s'était mal conduit. Bobby saisit son collier et y accrocha une laisse.

— Tu nous as fait peur, méchant chien, le grondai-je.

Il bondissait maintenant, très fringant.

— Bleu ! rugit Bobby. Méchant, méchant chien !

Bleu se coucha d'un air soumis et regarda son maître en roulant les yeux.

173

— Je ne t'aurais pas cherché plus longtemps, espèce de bon à rien ! tonna Bobby.

Je retirai la photo de ma poche pour la donner à Bobby et l'examinai attentivement pour la première fois. Bleu était couché au pied d'une fille délicate qui grimaçait à cause du soleil. J'étais certaine de l'avoir déjà vue. C'était Laurie Jacques. Elle avait de fins cheveux châtains, de grands yeux bruns et un visage en forme de cœur.

Bobby empoigna la laisse de Bleu et traversa la rue. Il me fallut presque courir pour me maintenir à sa hauteur pendant que nous retournions chez nous.

— J'avais bien peur de ne plus jamais revoir ce stupide chien, dit Bobby. Je te revaudrai ça.

Il ne semblait pas se rendre compte qu'il marchait trop vite pour moi.

— Est-ce Laurie à côté de Bleu sur la photo ? haletai-je.

— Ouais.

— As-tu eu de ses nouvelles ?

— Non, répondit-il sèchement.

Bobby remarqua que la langue de Bleu pendait et il ralentit.

— Chien stupide, marmonna-t-il.

On se retrouva enfin devant ma maison. Bobby avait la mine sombre.

— Je crois que Laurie m'en veut, lâcha-t-il soudain.

Il tourna les talons, tira brusquement le collier de Bleu et se rendit à grands pas jusque chez lui. Je regardai la porte se refermer derrière lui.

« Personne ne semblait vouloir parler de Laurie »,
pensai-je, aussi était-il difficile de la considérer
comme une personne réelle. Sur les photographies,
son visage semblait abstrait, simple jeu d'ombres et
de lumière.

J'entendis mon père rentrer à vingt et une heures
et me fis un point d'honneur d'aller lui dire bonsoir.
Je m'étais dit qu'il était ridicule d'habiter la même
maison et de vivre comme des étrangers. Il prépara
du café décaféiné dont l'arôme emplit la pièce. Je
lui racontai que j'avais aidé Bobby à retrouver son
chien. Il se contenta d'être poli.

— Il te faudrait peut-être un chien.

Il prit une tasse dans l'armoire.

— Achètes-en un, si tu veux. Ça te ferait de la
compagnie.

Il y eut un silence gêné durant lequel je me
demandai s'il essayait de me dire que je ne devais
pas compter sur lui pour me tenir compagnie.

— Non, dis-je. Ça serait idiot. J'irai au collège
l'an prochain.

Il eut l'air soulagé.

Je retournai dans ma chambre, plus furieuse que
je ne l'avais jamais été. Je m'amusai durant quelques
minutes à rêver de vengeance. Je deviendrais célèbre
et, quand on me poserait des questions en entrevue, à
propos de mes parents, je me déclarerais orpheline.
Ou alors je deviendrais très riche et réduirais la compagnie pour laquelle travaillait mon père à la faillite.
Je trouverais le numéro de téléphone de sa copine et

lui dirais qu'il était marié et père de cinq enfants en bas âge. Aussitôt, je téléphonai à Robin.

— Est-ce que ça va? me demanda-t-il.

— Ça va.

— Tu n'as pas l'air dans ton assiette. Quelque chose ne va pas?

— Tu me manques.

Il rit.

— Tu me manques aussi.

On parla de tout et de rien durant une dizaine de minutes avant de se souhaiter bonne nuit. Je raccrochai et me couchai tout habillée sans même éteindre la lumière.

Les deux photos de Laurie Jacques — la diapositive et la photographie — flottaient dans mon esprit. La photographie se renversa et se superposa à la diapo. Bleu et Vanessa n'apparaissaient plus sur les photos et il ne restait plus que la double image de Laurie; on aurait dit une carte à jouer. «C'est la dame de cœur», pensai-je. Le visage grave de Bobby se dessina, puis disparut aussitôt. «Non, ce n'est pas tout à fait exact», pensai-je tandis que mon rêve s'effaçait et que j'émergeais peu à peu du sommeil. Laurie n'était pas la dame de cœur. C'était la dame des secrets.

À mon réveil, j'avais la bouche pâteuse et une coupe de cheveux digne d'un groupe de *heavy metal*. En contemplant mon air débraillé dans le miroir, je me rappelai mon rêve troublant. Il me paraissait réel, comme s'il venait tout juste de se passer. J'espérais que, sous la douche, l'étrange arrière-goût qu'il m'avait laissé se dissiperait. Je me déshabillai et me glissai sous le jet d'eau brûlant. J'entendais l'eau gargouiller dans les tuyaux tandis que la vapeur s'élevait en nuages autour de moi ; un sentiment de bien-être m'envahit peu à peu tandis que le jet puissant me massait la peau. Quand je fermai le robinet et enveloppai mes cheveux mouillés dans une serviette, je me sentis beaucoup mieux.

Mais mon rêve m'avait perturbée. La netteté extrême de la maison de mon père semblait irréelle, comme l'une de ces toiles où des lits flottent dans le ciel bleu avec des chapeaux et des moustaches. Une froideur sinistre et inquiétante m'avait saisie.

J'étais contente de retourner à l'école. Je croisai Stéphane près de ma salle de classe.

— On s'attend à ce que la rivière quitte son lit demain ou après-demain, dit-il en passant une main dans ses cheveux bruns. Le niveau de l'eau pourrait monter jusqu'à un mètre ou deux au-dessus de la berge.

Il s'essuya le front avec la paume de sa main.

— Il paraît qu'il y a déjà deux cinglés qui ont l'intention d'aller canoter sur la rivière.

— Où est Vanessa ?

Je ne les avais que rarement vus l'un sans l'autre et je la cherchai du regard.

— Elle ne doit pas se trouver bien loin.

Je vis que son majeur était jauni par la nicotine ; de plus, on aurait dit qu'il avait passé la nuit dans une cheminée.

— J'ai mal au cœur, déclara-t-il.

— As-tu déjeuné? demandai-je.

Je le soupçonnais d'avoir fumé une cigarette au lieu de manger.

— Peut-être pas.

Il regarda autour de lui d'un air affolé.

— Qu'est-ce que ça peut faire? Bon sang, cette pluie me rend fou!

La sonnerie retentit et les élèves se hâtèrent dans les couloirs. Un frisson d'anxiété remonta le long de mon dos, tel un petit serpent meurtrier. Ce n'était pas Stéphane — qui semblait souffrir d'une sensibilité maladive au temps pluvieux — que je voulais voir, mais Robin. «La présence de Robin m'apaiserait», pensais-je. Mais j'ignorais où il se trouvait. Je songeai même à coller un note sur son casier. J'étais réellement désespérée. Qu'est-ce que je lui dirais quand il serait devant moi? «Serre-moi fort. Dismoi que tout va bien.»

Je l'ignorais à ce moment-là, mais Robin était encore plus désespéré que moi. Toutefois, je suis certaine que, si je l'avais croisé, il m'aurait dit que tout allait bien, même si c'était un mensonge. D'abord, il n'aimait pas me voir triste et, en plus, son besoin de paraître heureux était le plus fort. Mais je ne le croisai pas et n'avais plus aucun espoir de le voir avant le dîner.

Je restai quelques minutes après le cours pour poser une question à monsieur Doiron à propos du devoir de physique. Malgré le soutien de Stéphane et de Vanessa, j'éprouvais toujours beaucoup de difficulté dans cette matière. J'avais vaguement conscience d'un brouhaha inhabituel à l'extérieur de la classe, mais je ne m'y arrêtai pas. Quant à monsieur Doiron, il y avait déjà longtemps qu'il ne s'intéressait plus à ce qui n'était pas directement lié à la physique.

Il avait le regard fiévreux d'un vrai fanatique.

— Combien le ressort a-t-il de points d'équilibre ? demanda-t-il d'un ton hargneux.

Le cœur me manqua.

— Plusieurs ? marmonnai-je.

Il jeta brutalement son manuel sur le bureau.

— Un nombre infini, rugit-il.

Quand je sortis enfin de la classe, j'étais un peu désorientée et ne sus comment réagir en voyant un garçon devant moi qui en tenait un autre sous son bras, comme s'il voulait l'étrangler. Je crus qu'ils se chamaillaient amicalement. Un autre garçon trébucha contre moi et faillit me renverser.

— Excusez-moi, marmonnai-je stupidement.

Puis j'aperçus Bobby Jacques, le visage déformé par la fureur, qui se dressait juste devant moi. Je clignai des yeux, terrifiée. J'eus à peine le temps de faire un pas de côté au moment où il chargeait.

— Il y a une bagarre ! cria une voix.

Je compris trop tard que je me trouvais au beau milieu d'une mêlée. Je me figeai, tel un chevreuil ébloui par des phares. Je suis sûre que personne n'avait l'intention de me frapper, mais ils étaient trop occupés à se protéger des coups qui volaient pour s'inquiéter de ma présence. Je lorgnai du côté de la classe en souhaitant pouvoir m'y réfugier et me cramponner à monsieur Doiron, mais un garçon musclé qui avait perdu sa chemise dans le feu de l'action donna un violent coup de pied à un autre élève affaissé contre la porte. Avant d'avoir pu me retourner pour m'enfuir, je vis que Bobby avait soulevé au-dessus de sa tête un garçon qui se débattait. Pendant que j'observais la scène, horrifiée, il le lança par-dessus la rampe.

— Mon Dieu! cria quelqu'un d'une voix perçante. Bobby l'a tué!

Des cris hystériques s'élevèrent. Je cherchai refuge dans la foule.

— Appelez le 9-1-1! hurla quelqu'un. Ne le touchez pas! Ne le *touchez* pas!

— Vincent! Vincent!

— Il est paralysé.

Tandis que je me frayais un chemin parmi la foule qui se précipitait vers la rampe pour mieux voir, j'entrevis un corps inerte sur le palier, bras et jambes écartés, face contre terre. «Était-ce possible qu'il soit vraiment mort?», me demandai-je en me penchant à mon tour au-dessus de la rampe. À côté de moi, une fille au visage bouffi et mouillé de larmes sanglotait.

— Il est mort! hurla-t-elle. Il est mort!

Mais la silhouette étendue sur le sol remua. Un son qui n'avait rien d'humain monta dans la foule.

Un petit groupe de garçons entouraient le blessé, qui essayait de se dresser sur ses coudes en secouant la tête, l'air sonné. Un homme maigre, vêtu d'un pantalon et d'un blouson gris, marchait vers lui à grandes enjambées dans le couloir.

Je fus prise de nausées ; je n'avais qu'une envie : m'en aller. Je titubai jusqu'aux toilettes des filles et m'aspergeai le visage d'eau froide. « Et maintenant ? », me demandai-je avec désespoir.

Je pris tout mon temps pour me rendre à mon cours suivant, dans les couloirs presque déserts. Je passai devant des casiers quand une tache verte attira mon attention. Un gros lutin en carton portant une casquette et des souliers verts ainsi qu'une chemise à motifs de trèfles avait été collé sur l'un des casiers. La silhouette en carton ondulait à cause de l'humidité. Je suppose que je n'étais pas encore remise de mes émotions, car je la regardai durant un moment, perplexe, en me disant qu'il y avait déjà longtemps que la Saint-Patrice était passée. Puis je remarquai qu'il y avait quelque chose d'écrit au marqueur, sur la casquette verte. Je m'approchai et lus : *Rémi, attrape-moi si tu peux !*

Seize

Cher journal,

J'ai besoin de m'évader. L'école me tape sur les nerfs et pas seulement à cause de la physique. Bobby Jacques souffre de graves désordres psychologiques. Je n'ai jamais rencontré quelqu'un d'aussi violent. Il fallait le voir lancer ce garçon, Vincent, par-dessus la rampe! J'ai la chair de poule chaque fois que je revois son corps inerte sur le palier. Bobby aurait pu le tuer.

Je meurs d'envie de retourner au chalet...

J'apercevais la rivière par la fenêtre du chalet de Robin. Le niveau de l'eau avait atteint les racines des arbres, qui tendaient vers le ciel leurs doigts squelettiques. Sous le ciel gris, l'eau paraissait furieuse et dangereuse.

Robin était assis à table, le menton dans sa main. Je décelai en lui des signes de fatigue: le tressaillement involontaire d'une paupière, la lenteur prudente de ses gestes.

Je passai doucement ma main dans ses cheveux.

— Est-ce que ça va ? demandai-je.

Il sourit faiblement.

— C'est le manque de sommeil.

Rémi était penché sur une pile de feuilles qu'il avait récupérées au secrétariat de l'école — des lettres de moquerie envoyées aux enseignants par ordinateur et de fausses invitations interceptées avant d'avoir été postées. Il espérait trouver un indice qui trahirait l'auteur de ces plaisanteries.

— On dirait que j'ai un ennemi qui me pourchasse, gémit-il. Mais ça n'a pas de sens ; je n'ai aucun ennemi.

Il n'arrivait pas à penser à autre chose. Cette question l'obsédait.

— Voyons, Rémi ! Il ne s'est rien passé de très grave jusqu'à présent, fit remarquer Robin avec lassitude.

— Rien de très grave ? hurla Rémi en écarquillant les yeux. Et si on me congédie ? Et si on me dit : Rémi, mon vieux, si tu ne parviens pas à t'occuper correctement des ordinateurs, nous trouverons quelqu'un d'autre ?

— Ils ne trouveront jamais personne prêt à travailler pour aussi peu d'argent, dit Robin.

Rémi parut soulagé.

— Ce n'est pas uniquement à cause des ordinateurs, grommela-t-il. Ce lutin stupide collé sur mon casier m'a couvert de ridicule.

Je regrettais de ne pas avoir eu la présence d'esprit de décoller le lutin quand je l'avais vu.

Robin haussa les sourcils.

— Dis-toi seulement que c'est un honneur que quelqu'un soit suffisamment jaloux de toi pour tenter de s'en prendre à toi.

— Merci beaucoup, Robin. Tu me remontes le moral, dit Rémi.

Il avala son jus de canneberge d'un seul coup, tandis qu'un mince filet rose coulait sur son menton. Il s'essuya la bouche du revers de la main.

— Est-ce que Stéphane et Vanessa vont finir par arriver? Tu parles d'un retard. C'est ridicule. Je commence à avoir faim. Qu'est-ce qu'on va manger, nous, pour dîner?

— Pas de panique, dit Robin. On peut toujours ouvrir une boîte de thon.

Rémi le regarda comme s'il lui avait proposé du poison.

— Est-ce que Stéphane et Vanessa vous avaient prévenus qu'ils arriveraient plus tard? demandai-je.

J'avais encore à la mémoire le souvenir de notre dérapage et je me sentais inquiète.

— J'espère qu'ils sont sains et saufs, ajoutai-je.

— On sera morts de faim avant qu'ils n'arrivent, marmonna Rémi. Et ne me reparle plus jamais de thon. Le thon, ce n'est pas de la nourriture.

Il se tourna vers moi.

— Tu ne sais donc pas cuisiner?

— Non!

Je le regardai, surprise.

— Toutes les filles devraient apprendre à faire la cuisine.

— Pour qu'on puisse te nourrir ? demandai-je doucement. C'est peut-être toi qui devrais apprendre à cuisiner.

— La cuisine, c'est le travail des femmes. J'ai hâte que Vanessa et Stéphane arrivent.

Il attacha les feuilles avec un trombone.

— Vanessa et Stéphane, Stéphane et Vanessa… c'est comme Dupont et Dupond. Avez-vous remarqué ? Partout où va Vanessa, Stéphane est pendu à son cou. Si vous voulez mon avis, Stéphane a un problème.

Robin gémit doucement.

— Je suis sérieux ! insista Rémi. C'est vraiment malsain. Il *faut absolument* que Stéphane aille au collège Saint-Mathieu. Pourquoi ? Parce que Vanessa doit y aller également. C'est dégoûtant.

— Ils sont amoureux, dis-je. Je trouve ça plutôt mignon.

— L'amour ! dit Rémi avec ironie. Regarde où ça nous a menés.

Je lui jetai un coup d'œil rapide en me demandant à quoi il faisait allusion.

— Ne commence pas, Rémi ! dit Robin d'un ton menaçant.

Je sursautai au son de sa voix, qui me parut inquiétante. Rémi s'aperçut également que Robin était sur le point d'exploser. Après avoir lancé un regard nerveux dans ma direction, il changea de sujet.

— On m'a dit que tu t'étais trouvée au milieu de la bagarre hier, à l'école, dit-il. Comment est-ce arrivé?

— Je n'en ai aucune idée, répondis-je. Comme je sortais de la classe de monsieur Doiron, j'ai vu tout le monde autour de moi en train de se faire étrangler.

— Tu peux être sûre que c'est à cause de Bobby tout ça, dit Rémi. Il a toujours des ennuis. Il paraît qu'il a déjà frappé un garçon avec une brique quand il était en première année.

— En première année! s'exclama Robin.

— Ris si tu veux, mais on ne devrait pas lui permettre de fréquenter l'école. Il pourrait soulever n'importe lequel d'entre nous et nous flanquer une sacrée raclée! Ce garçon est dangereux. Tu sais, cette chose qu'on appelle l'ordre public, eh bien, certains d'entre nous y croient encore — même si ce n'est apparemment pas ton cas.

Robin enfouit son visage dans ses mains et ne put s'empêcher de rire. Rémi devint tout rouge.

«Que se passe-t-il?», me demandai-je. J'avais la désagréable impression d'avoir manqué le premier acte d'une pièce. J'avais raté quelque chose d'important; si seulement j'avais pu savoir de quoi il s'agissait. Quelle aurait été leur réponse si je leur avais carrément posé la question? Mais je n'en fis rien. Je suis plutôt du genre à observer et à essayer de découvrir ce qui se passe, même si, en agissant ainsi, je n'arrivais toujours pas à savoir ce qui se passait. Il me manquait un élément clé.

Ce fut un soulagement de voir Vanessa et Stéphane faire irruption dans le chalet.

— Bon sang ! Quel temps ! s'écria Stéphane.

Il posa deux sacs à provisions sur la table.

— Vous ne trouvez pas que ça ressemble au début d'un film d'horreur ? Je n'arrête pas de penser que la terre va trembler ou que des oiseaux possédés vont se jeter sur nous et nous réduire en lambeaux.

Il regarda autour de lui d'un air absent et je fus étonnée de constater qu'il avait l'air très malade. Il avait des cernes sous les yeux et, quand il déposa les sacs, je vis ses mains trembler.

Je retirai un carton de lait du sac.

— Est-ce que ça va ? lui demandai-je. Tu n'as pas de fièvre, au moins ?

On aurait dit que Vanessa avait cessé de respirer. Elle regardait Stéphane d'un air soucieux tandis que nous attendions sa réponse, cloués sur place. J'entendis, dans un silence total, le bruissement d'ailes d'une colombe qui s'envolait dehors. Stéphane ne répondit pas. Je n'étais même pas certaine qu'il m'avait entendue. Je me dirigeai vers la cuisine et rangeai le lait dans le réfrigérateur. Tels des mannequins s'animant soudain, les autres commencèrent tous à bouger et à parler en même temps.

— Assieds-toi, mon chéri, ordonna Vanessa. Couche-toi sur le canapé. Nous nous occupons de tout ranger.

Le regard de Stéphane rencontra le sien et, comme s'ils avaient communiqué secrètement,

Stéphane se laissa tomber docilement sur le canapé.

— Tu ne vas pas vomir, n'est-ce pas ? demanda Rémi.

— N'en parle pas, dit Vanessa. Tu sais bien que le simple fait d'en parler peut rendre quelqu'un malade. Moi-même, je commence à avoir la nausée.

— D'accord. Mais va dehors, si tu te sens sur le point de vomir, ajouta Rémi.

Robin quitta la pièce et revint avec une débarbouillette mouillée qu'il tendit à Stéphane qui s'allongea sur le canapé.

— Continuez à bavarder, dit Stéphane en plaçant la débarbouillette pliée sur son front. Je me sens terriblement mal. Racontez-moi quelque chose qui me changera les idées.

— Vert, nauséeux, dégoûtant ! chantonna Rémi. Limaces ! Bave !

Vanessa fit un pas vers Rémi, menaçante. Elle était réellement furieuse, mais Robin lui bloqua le passage.

— Je vais le secouer jusqu'à lui faire tomber les dents, fulmina Vanessa.

Stéphane sourit.

— Bien dit.

— Je vais te donner un conseil, Rémi, dit Robin avec lassitude. Ne mords pas la main de celui qui te nourrit.

— Mon Dieu ! s'exclama Rémi. Personne n'entend à rire ici ?

Avec Robin, j'aidai Vanessa à ranger les provisions. Puis Vanessa sortit le beurre du réfrigérateur et bientôt, l'odeur des champignons sautés parfuma la pièce. En moins de deux, elle prépara une délicieuse omelette. Mais elle n'avait pas faim. Elle coupa sa nourriture et la tripota avec sa fourchette en jetant des regards anxieux vers Stéphane, qui respirait bruyamment.

Après le dîner, à mon grand soulagement, les choses commencèrent à retourner à la normale. Robin fit du feu, s'empara d'un livre de Winnie l'ourson sur l'étagère et se mit à lire à haute voix. J'ignore si c'était à cause du bon repas que nous venions de prendre ou à cause de Robin qui nous faisait la lecture, mais l'atmosphère était plus détendue.

— Je vais faire des biscuits, annonça Vanessa lorsque Robin ferma le livre.

On entendait s'ouvrir et se fermer les armoires. Je me blottis dans un fauteuil et tentai de mettre mon journal à jour.

...L'agréable fin de semaine dont je rêvais menace de se changer en une version à peine plus civilisée que la bagarre d'hier à l'école. C'est difficile à expliquer. Peut-être que c'est à cause du temps, des nuages bas. Il y a de l'orage dans l'air...

Je ne savais que penser des échanges tendus entre Robin et Rémi. Qu'est-ce que ça pouvait bien leur faire que Stéphane veuille aller au collège

Saint-Mathieu? Qu'est-ce qui avait entraîné le fou rire de Robin quand Rémi s'était lancé dans un discours sur l'ordre public? Je me disais que j'aurais tout le temps de penser à ça plus tard. Pour le moment, ça n'avait pas d'importance. Les disputes étaient oubliées et la paix était revenue dans le chalet. J'entendis Vanessa casser des œufs et les remuer dans un bol avec une cuillère en bois; je levai les yeux et vis un nuage de farine s'élever au-dessus du comptoir. Rémi faisait une patience sur la petite table devant le canapé.

Robin était assis à mes pieds et grattait sa guitare tout en fredonnant.

Quand Vanessa apporta les biscuits et les tasses de chocolat, Rémi balaya ses cartes du revers de la main.

— Ça ne marchait pas, de toute façon, dit-il.

— Fais comme moi, suggéra Stéphane en dévoilant un œil sous la débarbouillette. Triche.

Robin fit remonter deux doigts de ma cheville jusqu'à mon genou et, en penchant sa tête en arrière, me sourit. Du chocolat fondu brillait aux commissures de sa bouche et quelques miettes de biscuits collaient à sa lèvre inférieure.

Plus tard cet après-midi-là, on s'éclipsa, Robin et moi, pour aller faire seuls une promenade en forêt.

— J'espère qu'ils ne s'entre-tueront pas pendant que nous sommes partis, dit Robin. Ce plaisantin à l'école va rendre Rémi complètement fou.

— Comment Rémi et toi êtes-vous devenus amis? demandai-je.

Il jeta sur moi un regard dénué de toute expression et écarta une branche pour me laisser passer. Dès que je fus passée, il relâcha la branche qui retrouva sa place en nous aspergeant d'une pluie de gouttelettes.

— Je veux savoir, insistai-je. Avoue que Rémi est souvent insupportable.

— Tu crois? Je suppose que nous sommes tous difficiles à supporter, d'une façon ou d'une autre.

— Tu ne vois donc pas de quoi je veux parler, Robin?

— Je pense que oui. Rémi est parfois un peu... agaçant.

Il sourit.

— Mais nous avons l'habitude. On se connaît depuis toujours. Je ne sais pas. C'est *peut-être* un peu différent maintenant. Rémi était plus amusant avant. On dirait que, cette année, tout est plus étrange. On est tous impatients de savoir si on aura une bourse et quel collège on fréquentera.

Il haussa les épaules.

— Toi aussi, tu as hâte de le savoir, fis-je remarquer. Et pourtant, tu ne t'en prends pas à tout le monde.

— Pour moi, ça n'a pas d'importance, dit-il. J'irai n'importe où. De toute manière, mon père peut payer. De plus...

On enjamba avec précaution un ruisseau d'ordinaire peu profond où l'eau coulait maintenant abondamment. Quelques pierres qui avaient été placées dans l'eau à intervalles réguliers nous permirent de le traverser à sec.

— De plus?... demandai-je.

— C'est vraiment une idée fixe, tu sais.

Il sourit, amusé.

— De plus, j'ai les nerfs plus solides que les autres.

Il détourna le regard.

— Et le cœur aussi.

— Tu es plus gentil, c'est tout.

— Et toi, tu n'es pas impartiale.

Il effleura mes lèvres d'un baiser.

Assis sur un rondin humide, on récolta quelques feuilles et brindilles d'un arbuste qui se trouvait tout près. Robin piqua une brindille dans une feuille qu'il ficha dans un morceau de bois pourri.

— Hissons les voiles.

Il me sourit.

J'examinai attentivement son bateau.

— Je crois que j'aperçois le hibou et le chat.

Robin rit.

— C'est vrai. Ils se trouvaient à bord d'un splendide bateau vert pomme, n'est-ce pas?

Je tenais une brindille de sapin d'une main tout en formant une petite butte de terre de l'autre. Puis je couronnai ma colline de la petite branche.

— Danseuse de *hula* à Tahiti.

— Danseuse de *hula*?

J'agitai la brindille.

— *Aloha!*

On fabriqua des rivières, des montagnes et des cavernes dans notre petit monde de terre et sous une bûche, on trouva même des insectes qui restèrent quelques secondes dans notre minuscule enclos de terre.

On se rinça les mains dans le ruisseau puis on transporta de l'eau dans nos mains pour créer un étang dans notre monde miniature.

— J'ai l'impression d'avoir huit ans, dit Robin en admirant le village de terre.

Je le regardai et souris.

— Pas moi. Je ne me sens pas comme une enfant.

Il me considéra, puis pencha la tête et m'embrassa jusqu'à m'en couper le souffle. On s'écroula sur le tapis de feuilles humides ; il m'embrassa dans le cou et tripota les boutons de mon chemisier.

— J'espère qu'il n'y a pas d'herbe à poux, dis-je avec une boule dans la gorge.

Robin sourit et posa ses lèvres dans le creux de mon cou.

J'étais en train de perdre la tête. Nous étions seuls dans un monde lumineux qui tournoyait doucement et où je n'entendais que les battements de mon cœur.

— Nous ferions mieux d'arrêter, dis-je.

— Mmmm…

— Je suis sérieuse.

Je ne savais pas pourquoi j'étais soudain prise de peur. Peut-être était-ce les secrets et la vague impression de malaise que j'avais repoussés qui resurgissaient et me rendaient prudente.

— Tu sais, si on voulait, on pourrait venir au chalet un de ces jours, rien que toi et moi.

Il haussa les sourcils.

Je me mordillai la lèvre.

— Mais on n'est pas obligés, s'empressa-t-il d'ajouter.

Je secouai la tête. Une peur irrationnelle s'éveilla en moi, et je me rendis soudain compte que je savais très peu de choses au sujet de Robin.

Il lut la peur dans mes yeux et son visage s'assombrit.

— Je ne te ferai pas de mal, dit-il doucement. Jamais.

Tout à coup, il détourna les yeux et parla d'une voix étouffée.

— Ce n'est rien. Oublie ça. Ce n'était qu'une idée comme ça.

On se releva tant bien que mal et je constatai que j'étais couverte de feuilles mortes.

— Tourne-toi, dit Robin. Je vais t'enlever ça.

— Non, je ferais mieux de m'en charger moi-même.

Je savais que, si Robin me touchait, on finirait par s'embrasser.

— J'ai bien peur de ne pas être très présentable.

Robin haussa les épaules.

— On dira aux autres que nous sommes tombés.

Il glissa ses doigts dans mes cheveux et m'embrassa.

— Ça ira, dit-il tendrement.

Il avait passé son bras autour de ma taille.

— Je t'aime. Tu n'as pas besoin de faire quoi que ce soit ou d'être différente pour que je continue de t'aimer.

— Ce n'est pas la même chose pour toi, dis-je en cherchant une excuse pour expliquer ce qui venait de se passer. Ce que je veux dire, c'est que c'est différent pour les garçons.

— Tu l'as dit, approuva-t-il. C'est différent pour moi.

— Nous ferions mieux de rentrer, dis-je.

Même si Robin se comportait comme si rien ne s'était passé, je me sentais mal à l'aise. On continua notre promenade en discutant de la façon d'identifier l'herbe à poux et de la classification des salamandres; on parla de tout, sauf de ce qui me préoccupait vraiment. J'éprouvai un serrement de cœur en songeant que je ne parviendrais peut-être plus jamais à retrouver la complicité qui nous avait unis.

Quand on aperçut le chalet dans la clairière devant nous, le soleil de l'après-midi qui se reflétait dans ses grandes fenêtres et la fumée qui s'échappait de sa cheminée, cette impression de malaise me quitta. J'avais déjà oublié la panique qui s'était emparée de moi quand il m'avait embrassée dans la forêt. Cet instant me semblait aussi loin que le souvenir des jours malheureux du temps où j'habitais avec ma mère. Tout paraissait réel et paisible. Au-dessus de nos têtes, un cardinal gazouilla.

— Nous voilà chez nous, dit Robin.

Il posa sa main chaude sur mon épaule et me mordilla l'oreille.

De retour en ville le dimanche après-midi, il fallut que j'aille à la bibliothèque. J'avais du retard dans mon devoir d'histoire qui portait sur les causes de la Révolution française et je rentrai chez moi assez tard. Je sursautai en passant devant la station-service dans l'avenue des Ducs, car je venais d'apercevoir des flammes qui jaillissaient d'une voiture garée à mi-chemin sous le toit abritant les pompes à essence. Le feu jetait dans la nuit une étrange lueur qui vacillait sur le pavé taché d'huile. C'était un spectacle sinistre. Les pompes à essence n'étaient que des formes vagues au premier plan, écrasées par l'énorme boule de feu derrière elles. J'avais peine à distinguer le châssis de la voiture au milieu du brasier. Les flammes s'élevaient au-dessus du toit et brûlaient sans bruit avec une énergie décuplée.

Je me demandai si je devais alerter les pompiers et regardai autour de moi dans l'espoir d'apercevoir quelqu'un qui s'en serait déjà chargé. Personne à l'intérieur de la station-service. Peut-être était-on déjà parti chercher du secours. C'est alors que je vis deux silhouettes qui me tournaient le dos sur le trottoir.

Je reculai pour mieux voir; aucun doute possible : c'était Stéphane et Vanessa, avec leurs vêtements amples et sans forme qui se découpaient contre les flammes. Je baissai la vitre et criai leurs noms, mais ils ne m'entendirent pas. Je me garai le long du trottoir et bondis hors de la voiture.

— Qu'est-ce qui s'est passé ? m'écriai-je en courant vers eux. Avez-vous appelé les pompiers ?

— Ne t'en fais pas.

Stéphane sourit.

— Ils sont en route.

— Quel spectacle, n'est-ce pas ? demanda Vanessa. Du point de vue esthétique, je veux dire.

— Un superbe feu, approuva Stéphane.

— Vous êtes certains que nous ne sommes pas trop près ?

Je fixai les flammes.

— Et si ça explosait ? Si les pompes prenaient feu ?

— Ne t'en fais pas, me rassura Stéphane. Elles sont équipées de dispositifs de sécurité et de tout ce qu'il faut.

Il fit un vague geste du bras.

Il avait l'air si calme que je me dis qu'il était peut-être ivre. Mais, en l'observant attentivement, il me parut dans son état normal. Peut-être même plus calme que d'habitude.

— À qui appartient cette voiture ? demandai-je.

— À moi, répondit Stéphane. Celle qui se trouve à côté va sûrement y passer aussi.

— C'est ta voiture ? Comment… qu'est-ce qui s'est passé ?

— J'ai jeté un bout de cigarette par terre.

Stéphane haussa les épaules.

— La suite, tu la connais.

— On nous avertit pourtant de ne pas fumer ni gratter une allumette à proximité des réservoirs à essence, fit remarquer Vanessa.

— Pas de danger que je l'oublie, après ça.

Je regardais la boule de feu fixement.

— Je pense sérieusement qu'on devrait reculer.

— Nous sommes bien assez loin. De plus, si la voiture avait dû exploser, je crois qu'elle l'aurait déjà fait ; qu'en penses-tu, Stéphane ?

Vanessa se tourna vers lui.

— Tu as raison, répondit-il.

J'hésitai, fascinée par le spectacle des flammes, mais désireuse de m'éloigner d'autant de liquide inflammable. Je reculai vers ma voiture.

— Vous voulez que je vous raccompagne chez vous ? demandai-je.

Vanessa sourit.

— Tu es gentille. Mais je crois qu'on ferait mieux d'attendre les pompiers.

Quand je m'éloignai, ils se tenaient toujours là, la tête rentrée dans les épaules, les mains enfouies dans les poches, les yeux rivés sur les flammes.

Dix-sept

Cher journal,
Comment Vanessa et Stéphane avaient-ils
pu demeurer si calmes ? Ils agissaient comme
si c'était eux qui avaient allumé le feu. Mais
pourquoi auraient-ils fait ça ? C'est impossi-
ble, n'est-ce pas ?

Lorsque je racontai à mon père que la voiture de mes amis avait brûlé, il se contenta de me rappeler qu'il y avait des avertissements clairement indiqués dans toutes les stations-service. Je téléphonai à Robin pour le mettre au courant; il me dit que pour rien au monde il n'aurait voulu être à la place de Stéphane quand il allait l'annoncer à ses parents. Il craignait également que les assurances ne couvrent pas la perte de la voiture, à cause de la négligence de Stéphane.

La vision de l'auto en flammes m'avait fortement impressionnée. Le lendemain — jour de mon 17e anniversaire —, j'éprouvais toujours le besoin d'en parler à quelqu'un. Je racontai tout à Sophie Voyer en la croisant dans le couloir.

— C'était incroyable. Les flammes jaillissaient de partout, dis-je. Tu ne peux pas imaginer ce que c'était.

— Ça se passe toujours comme ça au cinéma, fit-elle remarquer.

— Crois-moi, ce n'est pas la même chose quand ça se déroule devant toi.

— Regarde ! s'exclama Sophie en désignant le ciel. Le soleil !

L'apparition du soleil semblait plus importante que ce qui était arrivé à la voiture de Stéphane ; voilà qui en disait long sur la durée du temps pluvieux ! Des nuages noirs s'étiraient dans le ciel avec, ici et là, quelques trouées d'un bleu intense. Le contraste était saisissant. Le soleil se reflétait dans les flaques sur les trottoirs et faisait scintiller la pelouse. On aurait dit qu'une pellicule sale avait été arrachée devant nos yeux, rendant à toutes les couleurs leur éclat.

Je rencontrai Stéphane un peu plus tard et lui demandai comment ses parents avaient réagi en apprenant que sa voiture s'était envolée en fumée. Il me répondit que ça s'était finalement plutôt bien passé. Ils étaient soulagés qu'il ne se soit pas trouvé dans la voiture au moment où elle avait pris feu.

La camionnette d'un fleuriste s'immobilisait devant chez moi comme je rentrais de l'école. Un jeune homme vêtu d'une salopette de ton pastel en sortit, chargé d'un énorme bouquet de roses rouges qui flamboyèrent au soleil.

— Vous êtes Annick Ringuet? demanda-t-il.

Je fis oui de la tête et m'emparai des fleurs, le cœur battant à tout rompre. Je vis étinceler les dents blanches du livreur entre la forêt de grosses tiges vertes et les roses bien serrées.

— Hé! Il doit vous aimer beaucoup, hein? dit-il, visiblement curieux.

J'étais muette de surprise. Le livreur remonta dans sa camionnette qui s'éloigna en vrombissant. Je restai là, souriant comme une idiote, dans la fumée d'échappement du véhicule.

J'emportai les roses dans la maison. Les fleurs épanouies étaient d'un rouge intense: leur tige épaisse comptait de nombreuses épines. Après avoir déposé le vase sur la table de la salle à manger, je retirai la carte de sa petite enveloppe. *Je t'aime très très fort. Joyeux anniversaire. Robin*, y lus-je. Son écriture penchée s'estompa tandis que je fixais les mots. Une grande émotion m'envahit et je me sentis ivre d'amour. Je m'attendais presque à voir la foudre me frapper pour me punir d'être aussi heureuse.

«Le 4 avril! me rappelai-je. Je me demande si le virus a fait des ravages dans les ordinateurs de Rémi.»

Je ne réussis à joindre Robin pour le remercier qu'en début de soirée. Il décrocha, hors d'haleine.

— Je reviens de la bibliothèque, dit-il. J'ai trimé sur mon travail de recherche en histoire. Crois-tu qu'il est possible de perdre la raison à force de fouiller dans les livres ?

— Robin, je t'aime, soufflai-je.

— Quoi ?

— Je t'aime, répétai-je.

Il parut content.

— Oh ! tu as reçu mes fleurs ! Bon anniversaire !

— On ne m'avait encore jamais offert de fleurs.

— Je t'aime aussi, dit-il.

— Je me demande si le virus s'est abattu sur l'ordinateur de Rémi.

Il rit.

— Le virus ne s'est pas manifesté. Mais Rémi se fait toujours du mauvais sang. Il craint que le salaud n'ait programmé l'ordinateur pour qu'il s'autodétruise demain. Il lui faudra du temps avant de pouvoir retrouver son calme.

— Redis-moi encore que tu m'aimes, dis-je. J'adore ça !

— À la seconde où je t'ai vue, dit-il, je savais qu'il se passait quelque chose d'important. J'aime ton air sérieux. J'aime ton odeur. J'aime te tenir la main et sentir le sang battre dans tes veines. J'aime t'embrasser.

Je soupirai de contentement.

— C'est merveilleux de te voir exprimer aussi bien ce que tu ressens.

— J'aime aussi ton esprit, ajouta-t-il. Ça ne m'ennuie même pas que tu gagnes au scrabble.

Les couleurs de ma chambre semblèrent s'effacer

et tourner autour de moi tandis que je flottais dans un tourbillon de bonheur. Je serais restée des heures au téléphone rien que pour le plaisir d'entendre le souffle de Robin, mais je me rappelai qu'il travaillait à son devoir d'histoire et m'obligeai à raccrocher.

Mon père ne rentra qu'à minuit. J'étais incapable de dormir, encore toute troublée par les roses. J'avais caché la petite carte accompagnant les fleurs dans mon soutien-gorge, près de mon cœur, comme si elle était dotée d'un pouvoir magique qui guérirait toutes mes souffrances.

— Grands dieux !

J'entendis la voix de mon père dans le salon. Il passa bientôt la tête par la porte entrouverte.

— Qui a envoyé ces fleurs ? Ton petit ami ?

J'acquiesçai.

— Il essaie de te séduire, dit-il. Méfie-toi.

Je retins mon souffle et suffoquai. Je laissai libre cours à la haine que je ressentais pour mon père et son esprit buté. Il dut s'apercevoir que j'avais changé d'expression.

— Je plaisantais, s'empressa-t-il d'ajouter. Elles sont très belles.

Mais il se renfrogna immédiatement.

— Une douzaine ! Il en a envoyé une douzaine ! Bon sang !

Il ferma la porte de ma chambre. Il avait complètement oublié mon anniversaire.

Il y eut un bref article dans le journal du mardi

rapportant l'accident qui avait impliqué la voiture de Stéphane. Deux voitures de pompiers avaient répondu à l'alerte; le véhicule de Stéphane était irrécupérable, alors que les dommages subis par la voiture garée à côté étaient estimés à trois mille dollars. Mais c'était un simple fait divers par rapport aux inondations qui faisaient la une. Les secouristes avaient cherché un groupe de campeurs cinq heures durant dans les zones inondées avant d'apprendre que les campeurs avaient téléphoné à leur famille d'un motel tout proche. Deux adolescents qui se trouvaient à bord d'un canot de location avaient chaviré près des chutes. La rivière tumultueuse avait aspiré leur embarcation et les deux naufragés avaient dû rester agrippés à un arbre, de l'eau jusqu'à la taille, durant six heures. On les avait secourus par hélicoptère.

Le système électrique de l'école se dérégla. Durant toute la journée, les lumières vacillèrent et la sonnerie retentit quand on ne s'y attendait pas. Les horloges prirent du retard. Je commençai à avoir la désagréable impression que tout se détraquait autour de moi. L'ordre prévisible des choses — les saisons et le temps, les interrupteurs et les horloges — ne semblait plus fonctionner.

Comme je me rendais à mon casier le mercredi matin, je fus absolument estomaquée de surprendre Rémi et Kim en train de s'embrasser passionnément.

— Excusez-moi, dis-je. Excusez-moi. Je dois prendre mes livres.

Rémi tourna vers moi un visage rayonnant.

— Salut, Annick. Tu connais Kim ?

— Nous avons fait connaissance.

Je la saluai d'un petit signe de tête tout en attrapant mes livres.

— Peux-tu croire que cette petite futée était à l'origine de toutes ces plaisanteries ? me demanda Rémi en riant.

Je restai bouche bée et regardai Kim fixement. Derrière quelques mèches de cheveux ramenées sur son front, ses yeux soulignés d'un large trait noir croisèrent les miens. Ses lèvres étaient rouge sang.

— Ça oui ! poursuivit Rémi. Elle m'a bien fait marcher !

Kim l'enlaça et lui jeta un regard aguichant.

La scène était tellement grotesque, on aurait dit une mauvaise blague ; Kim taquinait Rémi, son nez poudré se pressant contre son visage. C'était impossible. Moi qui les trouvais tous les deux si peu séduisants, j'étais ébahie de voir qu'ils étaient attirés l'un par l'autre.

Dès que j'eus rassemblé mes affaires, je filai. « Il s'était déjà passé des choses encore plus étranges », me rappelai-je. Robin était déjà sorti avec Kim. Robin ! J'avais du mal à me l'imaginer. Il était si doux et civilisé.

Quand je sortis de la cafétéria, je croisai Vanessa que j'agrippai aussitôt.

— Rémi sort avec Kim. C'est incroyable, non ? C'est elle qui lui jouait tous ces mauvais tours et qui envoyait les messages obscènes par ordinateur. Et ce n'est pas tout : il *l'aime*. Après avoir frôlé la folie parce qu'on touchait à ses ordinateurs, il décide soudain qu'il trouve la coupable mignonne !

— C'est impossible !

Vanessa était pâle.

— Tu en es certaine ?

— Je te le jure ; ils s'embrassaient passionnément devant mon casier. Il a fallu que je les bouscule pour prendre mes livres. Et c'est Rémi lui-même qui m'a avoué que Kim était derrière tout ça.

— Je suppose qu'elle voulait attirer son attention, dit Vanessa d'une voix lente.

— Comme si elle avait besoin de ça pour attirer l'attention !

— Elle voulait sûrement l'impressionner. Tu sais comment Rémi méprise les filles. Elle a peut-être voulu lui en mettre plein la vue. Il faut que je raconte tout ça à Robin et à Stéphane.

Je me figeai tout à coup.

— Est-ce que tu crois que Rémi va l'emmener au chalet ?

Je ne pouvais pas supporter l'idée de voir mon havre de paix perturbé par la présence de Kim.

— Impossible, répondit Vanessa. Il faudrait d'abord que Robin l'invite. N-non. Je suis certaine que même Rémi ne ferait pas une chose pareille.

— Il pourrait bien arriver avec elle à l'improviste. Il en est bien capable.

— Rémi ne ferait pas ça, me rassura Vanessa. Il ne l'emmènera pas s'il sait que Robin est là.

— Tu veux dire qu'il aurait peur que Robin… la lui reprenne ?

Mon cœur se serra à cette pensée.

Vanessa me toucha l'épaule.

— Robin ne ferait jamais ça. Ne t'inquiète pas. Il est sorti quelques fois avec Kim alors qu'il traversait une période difficile après le départ de sa mère. Ce n'était pas sérieux entre eux, crois-moi.

Je voulais la croire, mais elle me parlait sur un ton qui se voulait apaisant, comme si j'étais une enfant. Je perçus de la bonté dans sa voix, et cela me fit peur.

— Rémi est très agité, cependant.

Vanessa avait froncé les sourcils.

— Tu sais comment il est. On ne peut jamais prévoir ce qu'il va faire. Tu vois ce que je veux dire ?

J'avalai ma salive.

— Bien sûr.

Moi-même, j'étais anxieuse. La vision de Rémi et de Kim s'embrassant devant mon casier me revint à l'esprit, mais le visage de Rémi se confondit bientôt avec celui de Robin. J'étais bouleversée.

À l'heure du dîner, j'aperçus Rémi et Kim à l'arrière de la cafétéria. Je vis Kim passer son doigt sur un morceau de beurre et l'étaler partout sur le nez rond de Rémi. Puis elle s'assit sur ses genoux et se mit à lécher son nez luisant. La moitié des élèves qui se trouvaient dans la cafétéria les regardait avec un mélange d'horreur et de fascination, alors que l'autre moitié faisait semblant de ne rien voir. Rémi affichait un large sourire.

Vanessa lança un regard furtif dans leur direction et gémit doucement.

— Ça coupe l'appétit, n'est-ce pas ?

— Bon sang ! dit Stéphane en détournant les yeux.

Robin secoua la tête.

— C'est dégoûtant.

Vanessa frissonna.

— Cette fille est prête à dire ou à faire n'importe quoi et Rémi se comporte en esclave. Ça ne vous indigne pas ?

Ils échangèrent tous des regards embarrassés.

— Il s'amuse, c'est tout.

Robin jeta un coup d'œil vers la table où Kim et Rémi étaient installés.

— Ils ne se parlent probablement même pas.

— Tu veux parier que tu te trompes ? demanda Vanessa d'un ton menaçant. Tu veux parier que Rémi ne saura pas résister à la tentation de l'épater et de faire l'important ?

Il y eut un silence embarrassé.

Vanessa coupa son petit pain en deux d'un geste brutal.

— Il faudrait que quelqu'un lui parle.

— Voyons, Vanessa, dit Robin. Tu sais bien que ça ne sert à rien de lui parler.

Stéphane se mit à fredonner.

— *When a man loves a woman...*

Vanessa le foudroya du regard.

— Comment peux-tu ?... s'écria-t-elle.

Stéphane se tut.

— Probablement que tout se passera bien, dit Robin d'un air peu convaincu. Combien de temps cela pourra-t-il durer, de toute façon ?

— La roulette russe ne tourne pas longtemps non plus, fit remarquer Vanessa.

Je m'apprêtais à aller ranger mes livres, après les cours, lorsque j'aperçus un groupe de filles aux cheveux ébouriffés qui formait un cercle très serré devant mon casier. Je ne pouvais pas voir leurs visages. J'éprouvai l'impression troublante que Kim s'était multipliée et qu'elle s'entretenait avec deux de ses clones. Puis je constatai que l'une d'elles s'était rasé un côté de la tête ; son cuir chevelu blanc et luisant contrastait de façon saisissante avec ses cheveux noirs emmêlés de l'autre côté. Je compris après un moment de réflexion que Kim devait avoir des amies qui s'habillaient de la même façon qu'elle. Je saisis quelques bribes de leur conversation en m'approchant.

— Il n'a jamais deviné que c'était moi qui m'amusais avec les ordinateurs. Il était en train de devenir fou.

Est-ce que c'était bien Kim qui rigolait comme ça ? J'avais du mal à l'imaginer en train de rire. Leurs têtes étaient si proches l'une de l'autre que c'était difficile d'en être certaine.

— Il est très intelligent, mais plutôt gentil, continua Kim. Il veut devenir informaticien.

— Il est *tellement* mignon, Kim. Bizarre, mais mignon, dit une voix aiguë.

— J'ai toujours eu des goûts bizarres, répondit Kim.

— Nous le savions déjà, dit la fille au crâne rasé. Parle-nous donc de…

Je tendis l'oreille pour entendre le dernier mot. Avait-elle dit «lui» ou «Robin»?

Soudain, je me sentis incapable de leur demander de s'écarter pour que j'accède à mon casier. Je fis demi-tour et traversai le couloir à la hâte. Des rires résonnèrent derrière moi.

Je titubai comme une aveugle vers le stationnement. Lui… Robin. Qu'est-ce que j'avais donc? Pourquoi étais-je incapable de penser? Je tombai sur Bobby Jacques en tournant le coin de l'école.

— Hé! s'exclama-t-il. Y a le feu ou quoi?

Les coutures de sa chemise menaçaient de céder tandis qu'il tendait ses bras vers moi. Il me dévisagea. Ses cheveux étaient gras et sa barbe de quelques jours ne parvenait pas à cacher quelques boutons.

— On dirait que tu as bien besoin de boire quelque chose de très fort, dit-il.

— Qu'est-ce que tu fais à l'école? demandai-je. Je croyais que tu avais été exclu temporairement à cause de la bagarre.

— C'est de l'histoire ancienne. C'était la semaine dernière. On ne m'a exclu que pour deux jours, expliqua-t-il avec insouciance. Bobby est maintenant de retour et, pour célébrer ça, j'organise une fête vendredi. Tu viens, d'accord?

— Je vais y penser, dis-je en évitant de répondre ; j'ai beaucoup de travail.

Il se rembrunit.

— Tu te penses trop bien pour venir chez moi, c'est ça ?

— Non ! protestai-je, alarmée par son expression.

— Je remarque que tu as toujours le temps de sortir avec Robin durant la fin de semaine. Vous vous enfermez sans doute quelque part avec des piles de devoirs, hein ?

Il rit bruyamment.

— Je vais te dire une chose. Il y aura quelqu'un que tu connais. Rémi, le soi-disant génie.

— Non, c'est vrai ? dis-je faiblement.

— Kim est étonnante. Tu la vois avec Rémi, le cinglé de l'informatique au visage en forme de tarte ? Je me demande ce qu'on obtiendrait en les croisant ? Une nymphomane en forme de tarte, je parie.

C'était intéressant de noter que Bobby, tout comme le reste de la bande, réagissait mal au fait de voir Rémi et Kim ensemble.

— Écoute.

Il me menaça du regard.

— Je veux que tu viennes à cette fête, d'accord ?

Il me donna une poussée amicale qui me fit chanceler et s'éloigna.

Je crus comprendre à cet instant ce qui empêchait les voisins d'appeler la police quand Bobby donnait une fête. Ils craignaient probablement ses représailles. Je me dis que si je manquais cette soirée, il m'en voudrait sûrement. Il me faisait penser aux joueurs de football professionnels qui récoltent gloire et fortune en fauchant des collègues sur le terrain et qui finissent en prison après avoir écrasé leur épouse et leurs créanciers avec la Jeep familiale. Je ne savais comment lui faire entendre raison.

Robin était appuyé contre ma voiture et m'attendait. Il fronça les sourcils.

— Pourquoi parlais-tu à Bobby?

— Il m'a invitée à une fête qui aura lieu chez lui, vendredi.

Robin hocha la tête et me regarda d'un air narquois. Ses doigts ébouriffèrent mes cheveux.

— Tu ne peux pas y aller. Tu sors avec moi vendredi soir.

— On ferait peut-être mieux de sortir plus tard, dis-je.

Je songeai, mal à l'aise, à la poussée de Bobby et à son air menaçant. Ce n'était pas le genre de personne que l'on contrarie.

— Je pense sincèrement que je devrais aller faire un tour chez Bobby. Il va me prendre pour une snob si je n'y vais pas.

— Qu'est-ce que ça peut bien te faire, ce qu'il pense?

Robin fronça les sourcils.

— Ça ne me plaît pas que tu y ailles sans moi. Tous les gars seront ivres.

— Rémi est censé être là.

— Rémi?

Robin inspira brusquement.

— Rémi ira à la fête chez Bobby ?

Je souris.

— Je pourrai te donner un rapport complet sur sa mauvaise conduite.

— D'accord.

Il ne sourit pas.

— Mais ne t'en fais pas, promis-je, je ne resterai pas longtemps.

Cher journal,

Depuis quelque temps, j'ai constamment l'impression qu'il y a quelque chose qui m'échappe. C'est comme si les autres avaient un moyen de communication secret. Je suppose que c'est parce qu'ils se connaissent depuis très longtemps, qu'ils peuvent prévoir la réaction de chacun. Je me demande si Laurie était comme ça aussi.

Je n'ai pas compris ce qui se passait à l'heure du dîner aujourd'hui. Le fait de voir Rémi et Kim qui cherchaient à se rendre intéressants avait quelque chose d'effrayant, d'une certaine façon. Mais pourquoi ai-je senti ce vent de panique balayer notre table ? Et que vient faire la disparition de Laurie dans cette histoire ?

Dix-huit

*… Mais pourquoi ? Pourquoi Robin s'in-
quiète-t-il autant de me voir aller chez
Bobby ? Il n'a jamais dit que c'était impru-
dent d'y aller. Qu'est-ce que ça peut bien lui
faire que Rémi y aille ou non ? Pourquoi en
faire tout une histoire ?*

Les voitures envahirent notre rue dès qu'il fit
noir. Elles étaient garées n'importe comment, certaines même sur la pelouse. Une fille, un verre à la
main, s'amusait à sauter du capot d'une voiture à
l'autre.

— Hé ! descends de là, Marie-Jo ! geignit un
garçon dans l'ombre.

— Je n'ai pas fini, dit-elle.

Le verre brilla sous la lueur d'un lampadaire tandis que la fille sautait d'une auto à l'autre. J'entendais le bruit du métal qui pliait sous ses pieds nus et
reprenait sa forme dès qu'elle se déplaçait. Je jetai
un coup d'œil vers ma propre voiture. Elle était

garée près de la maison, trop éloignée d'un autre véhicule pour que la « sauterelle » s'y intéresse.

Il faisait froid et je serrai mon blouson contre moi en traversant la rue pour me rendre chez Bobby.

La chaleur et le bruit m'assaillirent lorsque j'ouvris la porte. Je ne distinguai pas grand-chose tout d'abord — des corps enlacés, une forte odeur de bière et de cigarette —, mais au bout d'un moment, j'arrivai à m'y retrouver.

— Salut !

Des yeux brillants me fixaient derrière une cascade de fines tresses noires.

— Où est Robin ?

Le visage de cette fille ne m'était pas inconnu.

— Je m'appelle Rebecca ! cria-t-elle. Rebecca Rocheleau. Je suis assise derrière toi en physique : Ringuet, Rocheleau, Ruest, Sicotte ?

Elle rit sottement.

— Ah ! oui !

Les tresses noires m'avaient joué un tour, tout comme le sourire impertinent. La Rebecca Rocheleau qui s'asseyait derrière moi en physique avait toujours une queue de cheval et paraissait à moitié endormie.

— Je croyais que tu sortais avec Robin Desparts, cria-t-elle pour couvrir la musique.

— C'est exact, criai-je à mon tour. Ce n'est pas…

Je fis un vague geste de la main.

— … le genre de soirée qu'il aime.

Elle approuva énergiquement.

— Il faut bien s'amuser un peu, non ?

Un garçon aux allures d'homme de Néandertal la saisit par derrière, et je me demandai durant une seconde si je ne devais pas tenter de la secourir ; mais elle riait si fort que je me dis qu'elle ne courait aucun risque.

— Annick, chérie !

Bobby m'enveloppa de ses bras éléphantesques et me serra à m'étouffer.

— Ouf ! fis-je.

Heureusement, il me lâcha.

— Où est Bleu ? lui criai-je à l'oreille.

— Dans la cour, répondit-il en criant lui aussi. Il n'aime pas la musique. Ça le fait hurler.

« La musique était parfaite, pensai-je, pour ceux qui aiment les bruits industriels. »

Maintenant que Bobby m'avait vue, je me dis que rien ne m'obligeait à rester davantage. Je me frayai un chemin parmi la foule jusqu'à la cuisine pour aller me chercher à boire. Au moment où j'ouvrais ma canette en sortant de la cuisine, un hurlement retentit ; je me retournai vivement. Rémi se tenait là, à moins de deux mètres de moi. Je fus étonnée de le voir se cramponner à une paire de jambes minces. Je levai les yeux et aperçus Kim qui était assise sur ses épaules. Elle avait enlevé ses chaussures et tambourinait des pieds sur le chandail de Rémi en tentant de s'accrocher au lustre en laiton suspendu au-dessus de la table de la salle à manger.

— Recule ! Recule ! hurla-t-elle. Je l'ai !

Le lustre se mit à osciller dangereusement au bout de sa chaîne. Kim se trémoussait d'excitation.

— Allez, mon cheval ! cria-t-elle.

J'entrevis l'armature de son bustier noir qui s'enfonçait dans sa chair sous ses aisselles blanches. Il faisait chaud et, lorsqu'ils se retournèrent, j'aperçus un filet de sueur qui dégoulinait dans son dos et disparaissait dans la bordure en dentelle de son bustier.

— Je suis le roi ! chanta Rémi d'un ton triomphant. Je suis le roi des mordus d'ordinateurs !

Je les suivis dans le salon. Rémi ne semblait pas m'avoir reconnue et, à en juger par son regard vitreux, il n'avait plus toute sa lucidité.

Je ne pus m'empêcher de me demander ce que la mère de Bobby pouvait bien penser des fêtes qu'il donnait. Même si Bobby nettoyait tout, ces soirées endiablées devaient sûrement laisser des traces. Rémi marchait d'un pas lourd dans le salon pendant que Kim s'amusait à frapper les lampes, qui vacillaient de façon alarmante. J'en déduis que son intention était de faire osciller toutes les lampes en même temps. Mais en raison de la cohue dans le salon, Rémi n'avançait pas vite. La première lampe qui s'était mise à osciller redevint immobile avant que Kim ait pu frapper la troisième.

— J'ai réussi ! J'ai eu accès à l'ordinateur de la NASA ! disait Rémi à qui voulait l'entendre. Et à celui du mi-ministère…

Sa langue épaisse trébuchait sur les syllabes.

— ... des Transports. Je suis le meilleur !

La lampe près de l'étagère tomba sur la moquette. Il y eut une pluie d'étincelles. Un garçon maigre eut la présence d'esprit de débrancher la lampe. Il s'agenouilla et frotta la trace noire qui était apparue sur la moquette.

— Laisse-moi descendre ! criait Kim. Laisse-moi descendre, Rémi. Je veux changer le CD.

Rémi se mit à genoux et se tint en équilibre tant bien que mal en posant une main sur le canapé. Kim descendit de ses épaules. Quand elle eut disparu parmi les invités, je m'approchai de Rémi.

— Rémi, dis-je, est-ce que ça va ?

Il tourna les yeux vers moi, mais il était incapable de fixer son regard. Il était toujours agenouillé, l'air un peu désorienté, mais ne fit aucun effort pour se relever.

— Veux-tu que je t'apporte une tasse de café noir ? demandai-je.

— J'bois pas de café, dit-il, indigné. C'est mauvais pour la santé. Où est Kim ?

— Elle est allée changer le CD. Écoute Rémi, tu veux que je te raccompagne chez toi ?

La perspective de reconduire Kim et Rémi chez eux ne m'enthousiasmait guère, mais je la préférais quand même à celle de retrouver leurs corps écrasés par une voiture, dans la rue, le lendemain matin.

— Ou je pourrais t'appeler un taxi, proposai-je après mûre réflexion.

— Je vais bien.

Il fronça les sourcils en me regardant.

— J'suis simplement en train de m'amuser. J'ai beaucoup de stress dans ma vie. Il faut que je m'amuse.

— Donne-moi les clés de ta voiture, ordonnai-je.

Il ne sembla pas m'avoir entendue; je fouillai donc dans sa poche.

— Ça chatouille, dit-il. Qu'est-ce que tu fais? Pas de folies! Kim ne sera pas contente.

Il sourit et se pencha en arrière jusqu'au moment où il perdit l'équilibre, mais je tenais déjà ses clés dans ma main. Il s'assit par terre, sa tête reposant sur le canapé, et me sourit.

— Kim est une vraie femme, dit-il. Elle est super.

Il tenta de représenter les formes d'une fille bien roulée à l'aide de ses mains, mais la coordination n'y était pas. On aurait dit une personne maladroite qui s'initie aux arts martiaux.

— Elle n'est pas du tout idiote. Les gens pensent que Kim est idiote, mais ils se trompent royalement!

— Tu ferais mieux d'aller dormir maintenant, dis-je avec nervosité.

Je craignais que Kim ne revienne vers nous. Quelqu'un, en tout cas, fonçait tête baissée dans la foule. Il y eut un peu de bousculade et j'entendis des cris d'indignation. Je saisis mon blouson. Un frêle garçon renversa de la bière sur moi.

— Désolé, dit-il en devenant rouge comme un homard.

Je le contournai et sortis.

L'air frais fut une véritable bénédiction. Je l'aspirai à pleins poumons. Puis j'observai mon souffle qui formait un nuage dans la nuit. J'avais l'impression d'avoir été témoin d'un désastre. Le souvenir des lèvres molles de Rémi et de sa tête pendante me donnait la nausée. La tête rentrée dans les épaules à cause du froid, je descendis les marches et me hâtai jusque chez moi.

Une fois à l'intérieur, je me déshabillai et pris une douche. Je détestais l'odeur de cigarette et de bière qui me collait à la peau. Je me brossai les dents et me gargarisai en m'efforçant de chasser le sentiment que j'avais d'être souillée. Puis je m'assis sur le canapé et écrivis.

... J'imagine l'enfer tel qu'il est représenté sur des toiles datant du Moyen Âge. Il y a toujours plein de gens sur ces tableaux ; les pécheurs sont entassés les uns sur les autres, hurlant pour qu'on leur donne à boire, la langue pendante. À croire que les peintres sont allés à la fête chez Bobby...

Robin arriva à vingt-deux heures.

— J'ai dû garer la voiture dans l'avenue Borduas, dit-il. Il va falloir qu'on marche pendant quelques minutes.

Ses cheveux étaient humides et bien peignés, comme s'il venait de prendre une douche. Il m'entoura de ses bras et je fermai les yeux de bonheur.

— Tu es la meilleure chose qui m'est arrivée depuis très longtemps, dit-il d'une voix rauque.

Il me serra à m'en couper le souffle, comme s'il ne voulait pas me laisser partir.

— Je t'aime, soufflai-je.

Il sourit.

— Tant mieux. On est bien partis, n'est-ce pas?

— Très bien.

Je levai vers lui un visage rayonnant.

Robin promena son regard autour de lui.

— As-tu remarqué qu'on ne reste jamais chez toi ni chez moi? Jamais.

— Ce n'est pas chez nous, dis-je.

Je ne savais pas très bien pourquoi, mais je me sentais extrêmement mal à l'aise dans la maison de mon père et j'étais toujours contente d'en sortir.

— Je comprends ce que tu veux dire. Moi aussi, je me sens mal chez moi depuis que ma mère est partie. Comme si une sorte de malédiction émanait des murs. Je ne veux pas t'emmener là-bas parce que j'ai peur que l'atmosphère qui y règne ne déteigne sur nous.

— Rien ne pourra m'empêcher de t'aimer, dis-je avec passion.

— Je l'espère bien. Mais je suis superstitieux. On ne peut pas dire que la maison a porté chance à mes parents.

— Nous avons le chalet. Et la Corvette, dis-je.

— Oui. Nous avons le monde entier.

Il m'aida à enfiler mon manteau.

— On n'a pas besoin de cet endroit.

Je serrai sa main.

— Bon, allons-y. Le temps a refroidi, dit-il avec regret.

Main dans la main, on sortit dehors.

Je me sentais bien au chaud, malgré le froid. J'avais l'impression qu'une ampoule s'était allumée en moi. Il y avait du brouillard et les lampadaires auréolés d'un halo jetaient une lueur sinistre sur la longue file de voitures garées. Le quartier avait un air étrange dans la nuit brumeuse et j'éprouvai le sentiment troublant d'être en route pour la cinquième dimension. Je serrai la main de Robin comme si j'avais peur de m'égarer.

— Allons quelque part où l'on peut s'asseoir sous un sèche-cheveux, dit Robin en frissonnant.

— On pourrait faire un pique-nique dans les toilettes des dames, dis-je. Il y a des sèche-mains.

— On ferait peut-être mieux d'opter pour des beignes et une tasse de chocolat, suggéra Robin. On sera sûrement au chaud au *Royaume du beigne*.

Je trébuchai contre le bord du trottoir et Robin me prit soudain dans ses bras.

— Pose-moi! criai-je d'une voix aiguë. Je vais tomber!

— Comment pourrais-tu tomber?

Il sourit.

— Jamais je ne te laisserai tomber. Maintenant, tu connais la vérité: je suis aussi têtu que mon père.

— C'est vrai ? Pose-moi, Robin ! Et si tu faisais un faux pas ?

— Je ne ferai pas de faux pas. Mais si c'est ce que tu veux...

Je descendis de ses bras en riant et il m'embrassa.

L'avenue Borduas était une artère à grande circulation, mais elle était déserte à cette heure-ci. J'entendis un déclic provenant d'une boîte en métal sur un poteau, et le feu passa du rouge au vert.

Robin m'ouvrit la portière de la Corvette. Dès que je m'enfonçai dans le siège en cuir, les vitres commencèrent à s'embuer et les feux de circulation devant nous devinrent flous.

— Je ne t'ai pas encore parlé de la fête chez Bobby, dis-je. C'était épouvantable.

— Je t'avais prévenue, fit remarquer Robin en s'installant au volant.

— J'ai dû voler les clés de la voiture à Rémi. Je ne crois pas qu'il s'en soit même rendu compte. Je pense que je vais les lui poster — anonymement. Je ne veux pas qu'il soit furieux contre moi.

Robin semblait retenir son souffle en écoutant mon récit du comportement de Rémi. Je reconnus l'attitude particulière de quelqu'un qui ne veut pas perdre un mot de ce qui se dit.

— Tu lui as peut-être sauvé la vie, dit Robin.

Je pouvais voir les muscles de ses joues tressauter.

— Ne te fais donc pas de souci pour ça.

— Il se vantait d'être un génie de l'informatique,

continuai-je. Il se disait le roi des mordus d'ordinateurs.

Robin ne dit rien, mais je sentis que ça n'allait pas. Le doux bonheur qui nous enveloppait quelques minutes auparavant semblait s'être envolé.

— Rémi se conduisait en véritable cinglé, poursuivis-je en jetant un coup d'œil gêné vers Robin. J'espère qu'il ne m'en veut pas à cause des clés. Tu crois aussi que j'ai bien fait de les prendre, n'est-ce pas ?

— Quoi ?

Robin était distrait.

— Oh ! les clés ! Oui, bien sûr que tu as bien fait. De quoi d'autre Rémi se vantait-il ?

— Il a dit qu'il avait déjoué l'ordinateur de la NASA.

J'observai la réaction de Robin.

— Je croyais qu'un agent du FBI allait surgir de derrière le canapé et l'arrêter.

— Et quoi d'autre encore ? demanda Robin avec calme.

— Eh bien ! il parlait de tous ces ordinateurs auxquels il a eu accès et de Kim, qu'il considère comme une vraie femme. Il s'est rendu tout à fait ridicule.

— Est-ce que quelqu'un prêtait attention à ce qu'il racontait, d'après toi ?

Robin quitta la route des yeux durant un instant.

— Il divaguait. En fait, j'ai du mal à croire que quelqu'un ait pu le prendre au sérieux.

227

Lorsqu'on s'immobilisa à un feu de circulation, Robin s'accouda sur le volant et appuya sa tête contre ses bras. Le feu rouge se reflétait dans ses cheveux.

— Est-ce que ça va?

Je lui touchai le bras.

— Robin? Est-ce que j'ai dit quelque chose qui t'a blessé?

Son regard croisa le mien.

— Ça t'ennuierait qu'on laisse tomber les beignes? J'ai mal à la tête.

Le feu passa au vert et le conducteur de la voiture derrière nous donna un coup d'avertisseur. La Corvette démarra en trombe.

— Mais non, ça ne m'ennuie pas, dis-je, inquiète. Fais demi-tour. Quand on sera chez nous, j'irai te chercher de l'aspirine.

— J'ai tout ce qu'il faut à la maison. Mon père reçoit beaucoup d'échantillons de médicaments. Il y en a des piles dans la salle de bains. Je suis désolé, dit-il.

— Mais non, ne t'en fais pas. Tu es certain d'être en état de conduire?

— Bien sûr.

La douleur se lisait sur son visage crispé et je reconnus, choquée, le même regard qui m'avait attiré vers lui le jour où je l'avais aperçu à la bibliothèque. Les vitres de la voiture étaient embuées et j'essuyai un petit cercle pour regarder au dehors. À ce simple geste, toutefois, mon cœur se serra. Je me souvins tout à coup du jour où la Corvette avait dérapé sous la pluie. Lorsqu'on tourna le coin de ma rue, je frottai mes paumes moites sur mes jeans.

— Ne me raccompagne pas jusqu'à la porte, dis-je. Dépêche-toi de rentrer chez toi et de prendre quelque chose.

— On se verra demain, dit-il.

Quand il me toucha la main, je sursautai au contact de ses doigts complètement froids.

— Bonne nuit, dis-je.

Je le dévisageai d'un air anxieux.

— Essaie de dormir.

Je restai plantée là durant quelques minutes et regardai les feux arrière de la Corvette s'éloigner dans la rue. Bientôt, l'épais brouillard engloutit la voiture. Je continuai nerveusement à regarder les voitures passer dans la rue. Je pivotai enfin et rentrai dans la maison. De l'autre côté, la fête de Bobby battait son plein dans la nuit indifférente.

Dix-neuf

Cher journal,

Était-ce le fruit de mon imagination ou bien le mal de tête de Robin s'est-il manifesté quand je lui ai parlé de Rémi ?

J'aurais peut-être dû l'écouter et ne pas aller à la fête. Peut-être aurais-je mieux fait de ne pas rapporter les propos de Rémi. Je ne sais pas ; je n'y comprends plus rien.

Mon père était encore parti. Ça m'était complètement égal. Sa secrétaire avait téléphoné pour me dire où il allait, mais ses excuses se ressemblaient toutes.

Je composai le numéro de Robin et laissai la sonnerie retentir six, dix, quinze fois. J'avais attendu la fin de l'avant-midi pour l'appeler en pensant qu'il avait peut-être dormi tard. L'idée qu'il ne répondrait pas ne m'avait pas effleurée et, au début, je n'arrivais pas à le croire. Je raccrochai et composai de nouveau le numéro en me disant que j'avais dû me tromper. Je fus saisie de l'envie folle de me rendre chez lui lorsque je l'imaginai étendu par terre, incapable d'appeler du secours.

Ça paraît étrange, mais je n'étais jamais allée chez Robin et je ne savais pas exactement où il habitait. Je craignais également de rencontrer son père, que je n'avais jamais vu. Peut-être est-ce pour cette raison que je téléphonai à Vanessa au lieu de sauter immédiatement dans ma voiture. J'avais la vague impression qu'elle saurait où il se trouvait. La voix qui me répondit au téléphone était claire et flûtée. J'entendais en bruit de fond la musique des dessins animés du samedi matin.

— Vanessa est au chalet de Robin, annonça l'enfant. Elle ne sera pas de retour avant dimanche.

— Tu en es bien certaine? demandai-je d'un air hébété.

— Oui. Elle est partie. Jean-Sébastien! Pose ça, sinon je te tue!

— Merci.

Je raccrochai.

C'était une erreur, me dis-je. Je téléphonai chez Stéphane en tremblant. Une femme à la voix agréable me répondit.

— Stéphane passe quelques jours à la campagne avec son ami Robin, dit-elle. Est-ce que tu veux lui laisser un message?

— Non, merci, dis-je avec lassitude. Ce n'est pas important.

Je m'assis près du téléphone; les idées se bousculaient dans ma tête. Pourquoi étaient-ils tous partis sans m'en parler ? Est-ce que j'avais froissé Robin d'une façon ou d'une autre ? Avait-il réellement mal à la tête la veille ? Ou voulait-il simplement que je le laisse tranquille ? Ma vie venait de basculer. La peine que je ressentais était si intense que seule l'action pouvait la soulager. Je m'emparai des clés de ma voiture et sortis.

Je ne suis pas certaine d'avoir réfléchi à quoi que ce soit en me rendant au chalet.

— Non ! dis-je tout haut.

J'entrevis mon reflet dans le rétroviseur ; j'avais l'air pâle et épuisée. Je touchai la carte qui reposait toujours sur mon cœur. Je la portais depuis des jours, tel un talisman. *Je t'aime très très fort.* Puis, la voix de mon père résonnait dans mes oreilles : « Il essaie probablement de te séduire. »

Je me rappelai aussi les mises en garde de Sophie Voyer.

— C'est impossible, dis-je à haute voix. Il y a quelque chose qui cloche.

Une voiture me dépassa. Le jour était gris et froid et des nuages noirs se déplaçaient rapidement dans le ciel, poussés par un vent invisible. MATÉRIEL DE PÊCHE ET LOCATION DE CHAMBRES À AIR : 3 km, pouvait-on lire sur un panneau qui s'écaillait au bord de la route. Maintenant que j'étais presque arrivée au chalet, je me rendis compte que je n'avais pas songé un seul instant à ce que j'allais faire. Qu'est-ce que je dirais quand on m'ouvrirait la porte ?

Est-ce que je tenais vraiment à entendre Robin dire tout haut qu'il ne voulait pas me voir ? Peut-être que je pourrais faire semblant de m'être arrêtée en passant dans le coin. Mais comment aurais-je pu passer par hasard dans une forêt dont le seul point d'intérêt était une cabane de matériel de pêche ?

L'allée du chalet apparut dans le mur que formaient les arbres. Je pouvais me garer là et surveiller la maison un moment. Je donnai un coup de volant à gauche, toujours indécise.

Mais, en apercevant le toit pointu du chalet, je compris qu'il n'y avait personne. Une bourrasque fit tournoyer les feuilles mortes dans la clairière au moment où j'immobilisai la voiture. Il n'y avait plus aucune trace de pneus, sauf les miennes. Troublée, je descendis de ma voiture et gravis l'escalier. Je me penchai pour jeter un coup d'œil dans la grande fenêtre du salon. À l'intérieur, tout était en ordre et parfaitement désert. Il n'y avait pas de sacs à provisions sur le comptoir, ni de sacs de vêtements derrière le canapé. Aucune trace du désordre qui caractérisait nos fins de semaine. On aurait pu croire que personne n'y était venu depuis des années.

«Il y a sûrement une erreur», pensai-je, mal à l'aise. Pourquoi Stéphane et Vanessa auraient-ils dit à leurs parents qu'ils allaient au chalet de Robin ? L'évidence me sauta aux yeux. Stéphane et Vanessa devaient se trouver quelque part dans un motel. Je remontai dans la voiture en me traitant d'idiote et roulai jusqu'en ville. Robin devait être à la bibliothèque. Il avait probablement oublié son mal de tête et sa promesse de venir me voir.

Mais la terreur ressentie m'avait marquée, comme un mauvais rêve. Je voulais voir Robin, le toucher, l'entendre me dire qu'il allait bien et qu'il m'aimait toujours. Je dus faire un effort pour ne pas appuyer à fond sur l'accélérateur. Je roulais déjà trop vite.

Robin habitait une maison à trois étages avec des colonnes blanches et une allée pavée de tuiles. L'immense pelouse était bordée d'une haie de buis soigneusement taillée. Des cornouillers aux branches dénudées, où apparaissaient de minuscules bourgeons, se dressaient au-dessus des talus d'azalées aux feuilles sans éclat. Le garage — assez grand pour abriter trois voitures — était fermé, et le journal du matin, enroulé d'un élastique, traînait devant la porte. La maison respirait l'opulence et la tradition.

J'appuyai sur la sonnette en me demandant ce que j'allais bien pouvoir raconter au père de Robin s'il ouvrait la porte. Mais il n'y eut aucun bruit de pas, ni de réponse. Je frappai aussi à la porte à l'aide du heurtoir en laiton, puis appuyai encore une fois sur la sonnette.

Une enveloppe dépassait de la boîte aux lettres blanche à côté de la porte. Elle avait été pliée en deux. Je la saisis et le couvercle de la boîte aux lettres se referma avec un petit bruit sec. Elle était adressée à Robin et provenait de l'ambassade du Brésil. J'ouvris sans hésiter l'enveloppe de papier mince, tout en éprouvant la sensation de tomber dans une cage d'ascenseur.

La lettre à l'intérieur avait été dactylographiée avec soin. L'ambassade était au regret d'informer Robin qu'il lui était impossible de se procurer un permis de travail. Je fixai la lettre d'un air interdit. Le Brésil? «Mon Dieu! pensai-je. Où est Robin? Qu'est-ce qu'il fait? Pourquoi a-t-il demandé des renseignements au sujet d'un permis de travail au Brésil?»

Je roulai jusque chez moi, dans un brouillard, à peine consciente de la circulation autour de moi. «Il doit y avoir une explication toute simple», me dis-je. Dans ma tête se succédaient de vagues images du Brésil: Rio de Janeiro et son carnaval, le Pain de sucre, les bidonvilles.

Comme je me garai dans l'allée de ma maison, Bobby hissait un grand sac à ordures noir dans le coffre de sa voiture. Je rentrai chez moi, me préparai un sandwich au fromage et pris une pomme dans le réfrigérateur. Le bruit résonna si fort à mes oreilles quand je croquai dedans, que je la reposai aussitôt et regardai l'horloge.

— Le Brésil, dis-je à l'horloge.

Je composai encore une fois le numéro de Robin et mon sang ne fit qu'un tour quand j'entendis décrocher.

— Allô?

— Allô, dis-je d'une voix étranglée. Est-ce que Robin est là?

— Non, répondit un homme. Je suis désolé. Il passe la fin de semaine à notre chalet avec des amis. Il n'y a pas de téléphone là-bas. Désirez-vous laisser un message ?

— Non, dis-je. Ce n'est pas important. Je rappellerai.

Après avoir raccroché, je fixai le réfrigérateur sans comprendre. Le Brésil ? Pourquoi ?

Vingt

… J'ai la main engourdie, l'esprit aussi.
Ce n'est pas une bonne journée pour écrire.
Que se passe-t-il?…

Lundi matin, la pluie avait recommencé. C'était une pluie triste, froide et tenace. Dans les couloirs de l'école ce jour-là, les élèves se secouaient en exprimant leur dégoût. Ils couraient, leur blouson sur la tête, sur le terrain de l'école et se tenaient debout, frissonnants, dans les classes. J'espérais croiser Robin, Stéphane ou Vanessa d'une minute à l'autre. Il allait sûrement s'agir d'un de ces imbroglios qu'on éclaircit en cinq minutes comme à la fin d'une comédie télévisée — lorsqu'on découvre, par exemple, que ce n'est pas mademoiselle Massé, la réceptionniste, qui attend six petits, mais plutôt sa chatte. Des rires préenregistrés fusent alors de partout.

À l'heure du dîner, n'ayant pas encore croisé Robin ni les autres, je commençai à me décourager.

Rebecca Rocheleau était assise, l'air hébétée, et fixait une assiette de spaghettis mous et roses.

— Excuse-moi, dis-je machinalement quand je heurtai sa chaise.

Elle se secoua et cligna des yeux.

— Où est passé Robin? demanda-t-elle en me dévisageant d'un œil curieux. J'ai vu qu'il n'était pas au cours d'histoire aujourd'hui. Est-ce qu'il a attrapé le virus qui court en ce moment?

— Je crois, mentis-je.

— Prends garde, dit-elle, ou tu l'attraperas aussi.

Je m'installai à la table de Sophie. Ses amies semblaient toutes porter la même jupe marine à plis et des bas de nylon de même couleur. On se serait cru à un congrès d'hôtesses de l'air.

— Je pense que Robin a la grippe, dis-je avant que l'une d'elles me demande où il était.

— Comme bien d'autres, dit Sophie. Est-ce qu'il a attrapé le virus du mal de gorge ou celui des vomissements et de la fièvre?

— Non, il s'agit d'un mal de tête.

— C'est un nouveau virus, dit Sophie d'un ton respectueux.

Sophie et ses copines étaient en train de discuter de la vie sentimentale de leurs amis. Je crois qu'elles passaient en revue toutes les combinaisons éventuelles s'il advenait qu'une certaine Linda laisse enfin tomber un certain Julien. Julien tenterait alors de conquérir Christine, imaginaient-elles, et Christine romprait avec Marc, ce qui signifiait que

Sybile jetterait son dévolu sur Marc… Mais je commençais à avoir du mal à les suivre. Après avoir avalé juste assez de spaghettis pour calmer mon estomac, je me levai d'un bond, déposai mon plateau sur le convoyeur et sortis précipitamment de la cafétéria. Malheureusement, je me retrouvai nez à nez avec Rémi, la dernière personne que j'avais envie de voir. De façon irrationnelle, je le blâmais pour tous mes problèmes.

— Où est donc passé Robin ? demanda-t-il.

— Je ne sais pas, répondis-je.

— Comment ça, tu ne sais pas ?

Il paraissait décontenancé.

Je n'étais pas surprise de voir qu'il n'en savait pas plus que moi. Je ne pouvais imaginer les autres invitant Rémi à les accompagner au Brésil, si c'était bien là qu'ils se trouvaient. Moi-même, je ne l'aurais jamais invité.

Il fronça les sourcils.

— Aucune trace non plus de Stéphane et de Vanessa. Ils n'ont tout de même pas tous la grippe.

— Ils se sont peut-être enfuis, dis-je au hasard. Comme Laurie. Il s'agit peut-être d'une épidémie de fugues.

— Ne sois pas ridicule, dit-il.

— Je les ai tous appelés en fin de semaine et, partout, on m'a dit qu'ils étaient partis au chalet.

— Ça explique tout, alors, dit Rémi. La route était peut-être inondée, ou bien ils sont tombés en panne et attendent encore du secours. Je savais qu'il devait y avoir une explication.

— Je ne crois pas. Je me suis rendue au chalet, samedi.

Je m'éclaircis la voix.

— Et ils n'étaient pas là. Aucun signe de vie. Les seules traces de pneus sur le sol depuis la dernière pluie étaient celles de ma voiture.

— Tu plaisantes! dit Rémi en écarquillant les yeux. Tu parles comme une détective. Ils ont décidé de sécher les cours et de se payer un peu de bon temps. Pas besoin d'en faire une affaire d'État. Tu te fais une montagne d'un rien, ma chère.

Je me pinçai les lèvres.

— C'est possible que Stéphane et Vanessa soient quelque part en train de se payer du bon temps, comme tu dis. Mais dans ce cas, où est Robin?

— Avec Stéphane et Vanessa, je parie. Tu as déjà entendu parler des ménages à trois?

J'aurais aimé faire disparaître l'expression moqueuse de Rémi en le giflant. Son allusion répugnante me donnait la chair de poule.

— Le père de Robin croit qu'il est au chalet, déclarai-je d'un ton glacial.

Rémi remonta son col et frissonna.

— Peut-être que Robin s'est trouvé une autre fille et qu'ils sont tous partis vers le sud pour prendre un peu de soleil. Avec ce temps pourri…

— Cher Rémi.

Je lui adressai un sourire crispé.

— C'est si intéressant d'avoir ton opinion.

Je sentis un frisson me parcourir le dos en m'apercevant que je venais de parler comme Vanessa. Partis. Ils étaient tous partis sans moi.

— Il ne faut pas avoir peur des mots, dit Rémi. Je peux te dire que Robin n'aimerait pas que tu fasses une histoire parce qu'il manque un jour ou deux d'école.

Je me rendis à mon cours, mais je ne fus pas très attentive. Je fixai le tableau vert, hypnotisée, en me répétant « le Brésil », comme si la répétition de ces deux mots allaient m'apporter une réponse.

Quand je rentrai, je téléphonai chez Robin. Il n'était pas encore seize heures, et je sursautai lorsque le père de Robin répondit.

— Euh... est-ce que Robin est rentré ? demandai-je.

— J'ai bien peur de l'avoir manqué de peu hier soir, dit le docteur Desparts.

Sa voix me rappelait un peu celle de Robin et mon cœur se serra.

— J'ai passé la nuit à l'hôpital à cause d'une urgence, expliqua-t-il, et quand je me suis levé ce matin, Robin était déjà parti pour l'école. Donne-moi ton nom et je lui laisserai une note sur le réfrigérateur. Je suis certain qu'il te rappellera dès son retour.

J'hésitai, énervée, comme si on m'avait demandé d'enlever mon masque ; mais soudain, je lui dis mon nom.

— Ah ! oui !

Je perçus un sourire dans sa voix.

— Annick et les roses rouges.

— Demandez-lui de me téléphoner, dis-je rapidement. Merci.

Quand mon père rentra, il m'annonça que Julie et lui partaient le lendemain pour une semaine de vacances dans les Antilles.

— Bien entendu, tu ne peux pas venir à cause de tes classes, dit-il avec gaieté. On t'enverra une carte postale.

J'eus la vision d'un exode massif vers les Antilles ; tous les habitants de la ville partaient pour le sud, me laissant seule avec la pluie monotone et le frisson d'effroi qui me traversait le dos.

J'étais convaincue que le docteur Desparts avait tenu sa promesse et qu'il avait laissé une note à Robin sur le réfrigérateur. Mais Robin n'appela pas. Et je n'espérais plus qu'il le fasse.

Mardi matin, j'entrai péniblement dans l'école. Je me demandais comment je parviendrais à passer la journée. La tâche la plus anodine me paralysait. Je laissai tomber mon crayon durant le cours de physique et en fixai la mine cassée sans trop savoir quoi faire. C'était au-dessus de mes forces de me lever et de marcher jusqu'au taille-crayon. J'avais mal à la tête et j'aurais voulu me coucher dans une pièce noire et fermer les yeux.

En me rendant à mon troisième cours, j'aperçus soudain Robin, Vanessa et Stéphane assis sur le muret du pavillon Champlain. Je restai immobile un instant, n'en croyant pas mes yeux. Puis, je me mis à courir et, moins d'une minute plus tard, j'étais à leurs côtés. Robin me serra les mains très fort. Je compris à son toucher que, quel que fût le problème, rien n'avait changé entre nous. Je croisai ensuite son regard et constatai qu'il avait de vilains cernes sous les yeux. On aurait dit qu'il n'avait pas dormi depuis des jours.

Rémi arriva en coup de vent.

— Il était temps ! dit-il. Où étiez-vous donc passés ?

Vanessa et Stéphane échangèrent un regard. Ils avaient les traits tirés et semblaient sur leurs gardes.

— On a eu envie d'aller voir Ottawa au clair de lune, commença Stéphane.

— C'était un coup de tête, renchérit Robin. On a dit à nos parents qu'on allait au chalet, mais finalement nous nous sommes rendus à Ottawa.

— Une fois là-bas, continua Vanessa, Robin a proposé qu'on reste pour la nuit et qu'on se lève très tôt pour voir le soleil se lever sur le Parlement.

— On a fini par visiter la ville, dit Stéphane. Après avoir parcouru tout ce chemin, ç'aurait été dommage de revenir tout de suite. Nous sommes donc restés une journée de plus.

Ils parlaient vite, en s'interrompant, comme s'ils étaient impatients de raconter leur histoire ; puis ils s'arrêtèrent tous en même temps.

— Pourquoi ne pas m'avoir invitée ? m'écriai-je.

Robin me regarda d'un air interdit.

— Mais la politique ne t'intéresse pas.

Je faillis éclater de rire. Leur histoire ne tenait pas debout. Quelle était la vérité ? Où étaient-ils allés ? Pourquoi mentaient-ils ?

— Eh bien ! c'est super ! dit Rémi avec mauvaise humeur. Vraiment super. J'avais besoin de réconfort et personne n'était là. Vous étiez partis vous amuser. Kim m'a laissé tomber ! Je l'ai surprise en train d'embrasser Bobby Jacques !

Vanessa poussa un cri et se tordit de rire au point qu'elle faillit tomber du muret. Puis elle se redressa en cherchant son souffle.

— Je ne vois pas ce qu'il y a de drôle, dit Rémi.

Robin descendit du muret et donna une grande tape dans le dos de Rémi.

— Elle est surprise, c'est tout. N'est-ce pas, Van ?

— Je suis abasourdie, dit Vanessa en riant.

Je m'attendais presque à voir Stéphane basculer en arrière, comme un oiseau heurté par un projectile. Il était assis sur le muret, l'air secoué et le visage sombre.

— Ce fut très pénible, dit Rémi. Vous ne pouvez pas vous imaginer. Je lui faisais confiance. Je croyais qu'elle était sérieuse.

— C'est triste, dit Robin en réprimant une envie de rire. Je partage ta douleur.

— Dis-toi que c'est elle qui est perdante, ajouta Vanessa.

— Ouais. C'est facile à dire. Ça me fait le même effet que de recevoir une tonne de briques sur la tête.

— Le temps efface tout, mon cher, dit Vanessa. Crois-moi. Je sais que c'est difficile, poursuivit-elle, mais tu finiras par voir les choses d'un autre œil et tu comprendras que c'est mieux ainsi. N'est-ce pas, Robin?

Robin grimaça en raison de l'allusion à sa propre aventure avec Kim, mais ça ne dura pas.

— C'est vrai. Tu seras content, Rémi. Ne regarde pas en arrière. Souviens-toi que si elle s'est conduite de cette façon, c'est qu'elle ne te mérite pas.

— Tout à fait, approuva Vanessa.

— En plus, ajouta Rémi, j'ai perdu mes clés de voiture.

Je ne lui donnai aucune explication.

Après que chacun eut tenté de consoler Rémi, Robin m'accompagna jusqu'à ma classe en silence.

— Tu es très silencieuse ce matin, dit-il enfin. Est-ce que ça va?

— Je me faisais du souci pour toi, m'écriai-je. J'ai pensé que tu gisais quelque part, inconscient. Je suis allée chez toi. Je me suis même rendue jusqu'au chalet.

Il se mordilla la lèvre.

— Je suis navré. Je n'aurais pas cru que tu aurais voulu venir avec nous.

Nous nous trouvions devant ma classe.

— J'ai pris ton courrier quand je suis allée chez toi. Je n'ai pu m'empêcher de l'ouvrir. Tu as reçu quelque chose de l'ambassade du Brésil, dis-je tout net. J'ai gardé la lettre; on y disait, en deux mots, que tu n'as pas la moindre chance d'obtenir un permis de travail.

Je percevais l'angoisse dans son regard.

— Tu n'as donc rien à dire à ce sujet ? demandai-je.

— Non.

Il secoua la tête d'un air piteux.

— Je crois que je vais laisser les choses comme elles sont.

Je m'éloignai de lui et me mêlai aux élèves qui entraient dans la classe.

— Annick, je vais te téléphoner ! dit-il en haussant la voix pour que je l'entende.

La journée fut désastreuse. Les lumières fluorescentes bourdonnaient comme des insectes au-dessus de ma tête. Le bruit des chaussures de sport sur le plancher, la voix monotone des enseignants, les théories ennuyeuses du calcul, de l'histoire et de la physique n'arrivaient pas à rivaliser avec le drame qui se jouait dans ma tête. Si Robin m'aimait, comment avait-il pu me traiter de la sorte ? J'avais passé trois jours à me demander ce qu'il était devenu, n'ayant personne à qui me confier. Il aurait pu téléphoner. J'étais certaine qu'il n'avait pas roulé durant cinq heures pour voir Ottawa au clair de lune. Peu importe ce qu'il avait fait, il aurait pu m'appeler pour me dire où il était.

Je songeai à Bobby qui n'avait pas eu de nouvelles de Laurie depuis des semaines. Pour la première fois, j'éprouvai une certaine sympathie pour ce garçon au tempérament agressif. Il devait être mort d'inquiétude. Il essayait sans doute de se rappeler chaque mot qu'elle lui avait dit en tentant de s'expliquer son silence. Comment avait-elle pu l'abandonner ?

Quand je rentrai chez moi après l'école, je remarquai dans le miroir de la salle de bains que mes yeux étaient anormalement brillants. J'avais mal à la tête et je manquais d'équilibre, comme si je marchais sur un bateau qui tanguait. Ma chambre était sombre. Les stores étaient fermés et, à part la lampe sur ma table de chevet, il n'y avait aucune lumière dans la pièce. J'éteignis la lampe car la lumière me faisait mal aux yeux. Je m'assis sur le bord du lit. Je me demandai si ça ressemblait à ça, mourir. Au cours des dernières minutes de notre vie, peut-être que le sol se dérobait sous nos pieds et disparaissait dans le néant.

Soudain, la sonnette retentit. « Il doit s'agir d'une livraison pour mon père, pensai-je en portant doucement la main à la tête. Si je reste assise ici, le livreur s'en ira. » Mais on sonnait avec insistance et je me levai tant bien que mal. Je marchais comme une personne ivre, longeant les murs dans le couloir, les mains tendues.

« C'est sûrement à cause du stress, me dis-je. Ou bien je couve quelque chose. » J'entrouvris la porte avec précaution. C'était Robin.

— Annick, dit-il, alarmé. Tu as une mine épouvantable.

Il entra.

— Je me sens très mal.

J'avalai ma salive. Mes genoux étaient sur le point de céder.

— Où est ta chambre? demanda-t-il.

Je ne pouvais répondre; j'appuyai ma tête contre la poitrine de Robin et laissai couler les larmes sur mes joues. Robin me souleva et me porta. J'entendais mon souffle contre sa chemise et sentais mon cœur battre dans mes oreilles. J'étais si fatiguée, plus fatiguée que jamais. Les murs de ma chambre tournaient et la tête me faisait mal.

Il me borda, l'air inquiet.

— Qu'est-ce qui t'arrive? me demanda-t-il.

— C'est le stress, répondis-je en m'humectant les lèvres. J'ai subi beaucoup de stress dernièrement.

— Qui est ton médecin de famille? demanda-t-il.

— Excuse-moi, dis-je.

Je me levai d'un bond en l'écartant de mon chemin. Je courus vers la salle de bains pour vomir dans la toilette. Tout de suite après, je me sentais beaucoup mieux. J'essuyai ma bouche avec une débarbouillette humide et retournai dans mon lit en titubant.

— C'est sûrement la grippe, dit Robin.

Je marmonnai:

— Je me sens très mal.

— Quand ton père rentre-t-il?

J'eus de la difficulté à m'en souvenir.

— Il ne rentrera pas, dis-je. Il est en vacances dans les Antilles.

Robin laissa échapper un juron.

— Ça ira, dis-je. Je me sens déjà beaucoup mieux. Je vais rester couchée et dormir.

Je tremblais de froid maintenant et remontai les couvertures jusque sous mon menton.

Je fis un horrible cauchemar. Des hommes habillés en vert m'avaient kidnappée et me retenaient prisonnière dans une maison carrée sur une route qui menait aux Antilles. Quand je me réveillai, la chambre tournait autour de moi. Je me dirigeai vers la salle de bains en chancelant et y vomis de nouveau. Robin m'essuya la figure et me dit qu'il allait chercher des médicaments chez lui. À son retour, il me fit avaler quelques pilules. Elles me firent peut-être du bien, je n'en suis pas certaine. Je commençais à perdre la notion du temps.

Le visage de Laurie m'apparaissait si clairement que je crus halluciner. J'avais du mal à réfléchir. Les gants de caoutchouc jaunes que Stéphane avait achetés firent partie de mon rêve. Ils étaient animés et agrippaient Laurie, qui hurlait. Sa bouche ouverte dessinait un trou béant dans son visage. Il y avait quelque chose de monstrueux à propos des gants, mais je ne savais pas ce que c'était. J'étais terrifiée et je m'enfuyais en courant à toutes jambes.

J'avais la peau moite à mon réveil. Ma chemise de nuit me collait au corps et je descendis du lit en trébuchant pour en enfiler une autre. J'avais l'impression d'être malade depuis une éternité. Je me souvenais vaguement d'un monde en santé où des gens travaillaient, jouaient au basket-ball et au théâtre. Ça me paraissait incroyable que quelqu'un puisse avoir autant d'énergie. J'essayai de rester allongée et immobile dans une position qui ne me faisait pas trop souffrir.

Parfois, quand j'émergeais de mon sommeil fiévreux, je remarquais la présence de Robin, debout à côté du lit. Entre le sommeil et l'éveil, tout semblait simple. Il n'y avait que lui, moi et ce virus, et si je finissais par guérir, tout irait pour le mieux.

Robin m'apporta du bouillon de poulet, des craquelins et plusieurs débarbouillettes froides et humides.

— Tu te sens capable de t'asseoir ? me demanda-t-il en replaçant les oreillers derrière moi.

À mon grand étonnement, j'y parvins.

Il ouvrit les stores. Je fus surprise de voir que le temps était ensoleillé. J'avais vécu dans la pénombre, sans distinguer le jour de la nuit. Mais voilà que les rayons du soleil miroitaient sur l'étang. Il y eut des bruissements d'ailes lorsque trois colverts passèrent tout près. Ils se posèrent sur l'eau, les pattes orange et palmées déployées devant eux.

— Depuis combien de temps es-tu là ? demandai-je.

— Depuis deux jours.

— Et l'école ?

— J'ai téléphoné pour dire que j'avais attrapé ce terrible virus. Puis j'ai appelé mon père et lui ai dit que je devais m'occuper d'un ami malade. C'est Stéphane qui m'apporte mes devoirs. J'en ai déjà terminé plusieurs. C'est étonnant de voir combien on gagne du temps en n'allant pas à l'école.

— Tu m'as probablement sauvé la vie, dis-je.

Il sourit.

— Je n'oublierai pas ces paroles. Quand tu iras mieux, tu pourras me baiser les pieds, en signe de reconnaissance.

— Je parle sérieusement.

— Sérieusement, ce n'était pas bien grave. Tu te serais peut-être sentie plus déshydratée, mais je ne crois pas que ç'aurait été fatal. Le corps humain est plus résistant qu'on ne le croit.

Son visage s'assombrit.

— Mais pas toujours.

— Robin.

J'agrippai le drap, comme si je m'attendais à ce que le lit se mette à bouger.

— Pourquoi essayais-tu… de te sauver?

Je ne cherchai même pas à dissimuler la détresse dans ma voix.

— Je suis désolé, dit-il doucement.

— Laurie est morte, n'est-ce pas? dis-je.

Il me regarda fixement, le visage impassible. Il semblait pétrifié. Je n'avais pas besoin qu'il me dise que Laurie était morte. Je savais qu'elle l'était.

— Voilà pourquoi elle n'a pas donné de nouvelles à Bobby.

Je joignis les mains.

— C'est la seule raison qui puisse expliquer pourquoi elle n'a pas donné signe de vie à Bobby.

Qu'est-ce que tu as fait ? Pourquoi essayais-tu d'obtenir un permis de travail au Brésil ? Est-ce que tu l'as… tuée ?

En le dévisageant, j'avais si froid qu'on aurait dit que j'avais été sculptée dans la glace.

Vingt et un

... Je souhaiterais que ma fièvre revienne
pour demeurer sous les couvertures,
brûlante, étourdie et hébétée, et ne pas
penser à ce que je viens d'entendre...

Robin fit un geste comme s'il repoussait ma
question. Il souleva le fauteuil jaune qui faisait face
au téléviseur et l'apporta à côté de mon lit. Puis il
s'assit en appuyant les coudes sur ses genoux, les
mains pendantes entre ses jambes; il me regarda
d'un air calme.

— Non, je ne l'ai pas tuée. Est-ce que ça chan-
gerait quelque chose si c'était le cas?

Je pris le temps de réfléchir.

— Oui, dis-je. Il faudrait que ça change quelque
chose, n'est-ce pas? Ça voudrait dire que tu es différent de ce que j'avais imaginé.

— Tu commences à me faire peur, dit-il d'une
voix accablée. Écoute, je ne l'ai pas tuée. Il vaudrait peut-être mieux en rester là.

— Si seulement tu m'avais téléphoné avant de quitter la ville, criai-je.

« Si j'avais été prévenue qu'il partait pour la fin de semaine, me dis-je, j'aurais continué à voir le bon côté des choses ». Comme j'aurais aimé que tout se déroule ainsi !

— Je ne voulais pas te mêler à cette affaire, dit Robin. Nous, on est dedans jusqu'au cou. Mais pas toi. Tu es à l'abri de tout soupçon.

— Non, protestai-je. Je suis dedans jusqu'au cou, moi aussi. C'est trop tard. Il faut que tu me racontes tout.

Je ne reconnaissais pas ma propre voix. J'avais l'impression que les murs se refermaient sur moi et j'avais la nausée. Je me renversai vers l'arrière sur les oreillers. La grippe faisait probablement encore des siennes. Ou tout simplement, j'étais plus effrayée que je ne le croyais.

Il y eut un long silence avant qu'il ne parle.

— Par où veux-tu que je commence ?

— Dis-moi ce qui s'est passé.

— Je ferais peut-être mieux de commencer au début. Tu te souviens d'avoir entendu Rémi déclarer que je n'avais jamais eu de point de démérite ?

— Oui.

— Tu as dit que ça t'étonnait. À quel point ?

Je me souvenais de ce jour à *La Pâte à choux* où Rémi avait taquiné Rémi parce qu'il n'avait jamais eu de point de démérite. J'étais montée avec Robin. Pourquoi ne m'étais-je pas rendu compte que c'était presque impossible qu'un maniaque de la vitesse comme lui n'ait jamais eu un seul point de démérite?

— Rémi ne plaisantait pas quand il a affirmé avoir eu accès à l'ordinateur du ministère des Transports? demandai-je.

Il sourit.

— Je t'ai déjà dit que j'admirais ton esprit vif. Tu as vu juste.

La lumière oblique qui pénétrait dans la pièce donnait aux couvertures en désordre l'aspect de petites montagnes enneigées. La lampe en porcelaine sur ma table de chevet jetait une ombre en forme de violon sur le mur. Je remuais sans cesse les doigts et agrippais les draps, ne sachant que faire.

— Alors Rémi a apporté quelques modifications à ton dossier? demandai-je.

Robin acquiesça.

— J'étais sur le point de perdre mon permis. Rémi m'a dit que ce serait un jeu de d'enfant pour lui de s'en occuper. Il savait comment s'y prendre.

— Et tu as dit: «Non, Rémi, ne fais pas ça. C'est illégal.»

— Je regrette de ne pas l'avoir dit.

Robin toussa, embarrassé.

— Je vais boire un peu d'eau, dit-il.

Il se leva précipitamment.

— J'en ai pour une minute.

J'avais tellement de questions à lui poser que je ne savais par où commencer. J'étais étourdie, désorientée, comme si tout tournait autour de moi. Je l'entendis ouvrir et refermer les armoires dans la cuisine, et revenir d'un pas lourd dans le couloir.

Robin demeura un moment dans l'embrasure de la porte. Je songeai à ce jour où sa voiture avait dérapé. Nous nous étions retrouvés à quelques centimètres du garde-fou, évitant de justesse une chute mortelle. Son visage était aussi pâle qu'alors. Il me vint à l'esprit que la vitesse était pour lui comme le poivre sur la nourriture d'un vieil alcoolique. Depuis que sa mère était partie, et surtout depuis la mort de Laurie, il s'était fabriqué une épaisse carapace pour se protéger de ses émotions. Il était fort possible que la vitesse soit devenue pour lui la seule façon d'éprouver quelque chose. Cette pensée me donna la nausée.

Robin posa son verre d'eau sur la table de chevet et se rassit dans le fauteuil jaune. Il avait les sourcils légèrement froncés, mais ne paraissait pas plus nerveux que s'il s'apprêtait à m'expliquer un problème compliqué de physique.

— Que s'est-il passé après que Rémi a modifié ton dossier ? demandai-je. A-t-il vraiment eu accès à l'ordinateur de la NASA ? Avez-vous vendu des informations au gouvernement ou quelque chose du genre ? Est-ce que c'est pour ça que tu as toujours autant d'argent ?

Il eut l'air surpris.

— Tu parles sérieusement ?

Je me laissai retomber sur les oreillers.

— Ça me passait par la tête, c'est tout. Qu'est-ce qui s'est passé, alors ?

— Tu sais combien c'est important pour Stéphane d'avoir de bonnes notes pour être admis au collège Saint-Mathieu. Bien, en 2e secondaire, il a eu un C en français. La professeure ne l'aimait pas et lui a donné une mauvaise note pour sa dissertation. Stéphane craignait que ça ne l'empêche de réaliser son rêve. Son nom n'aurait probablement pas figuré parmi les meilleurs si Rémi n'avait pas remplacé son C par un A.

— Un vrai petit faiseur de miracles, ce Rémi, non ? dis-je. Je commence à comprendre pourquoi tout le monde le trouve aussi charmant. On peut tout pardonner à un garçon qui peut changer le cours des choses en appuyant sur quelques boutons.

Robin rougit.

— Ce n'était peut-être pas honnête de modifier mon dossier, mais ce qu'il a fait pour Stéphane était parfaitement juste. Tu sais à quel point les professeurs attribuent les notes de façon subjective. Stéphane aurait dû obtenir au moins un B dans ce cours. Il est brillant et il se tue au travail. Mais la professeure ne l'aimait pas.

— Ça m'étonne que Rémi craigne encore de ne pas être admis à l'Institut d'informatique, dis-je. Il pourrait changer toutes ses notes en A et être admis sans crainte.

Je claquai des doigts.

— Pas vraiment. Il y a des limites à ce qu'il peut

faire sans que personne s'en aperçoive. C'est une chose de modifier une note que Stéphane a eue il y a trois ans, mais c'en est une autre de voir Rémi passer de vingtième à premier de classe du jour au lendemain. C'est certain que quelqu'un le remarquerait.

Robin me jeta un regard oblique.

— On dirait que ces histoires te choquent.

Je sentis mes oreilles devenir chaudes.

— Je ne veux pas vous juger, dis-je. Je peux imaginer à quel point ce doit être tentant de déjouer un ordinateur quand on sait comment s'y prendre.

Je songeai au silence de Stéphane et de Vanessa lorsque je leur avais dit, dans la voiture, qu'on m'avait décrit Rémi comme étant un génie de l'informatique. Pourquoi ne pas m'être rendu compte que leur réaction n'était pas normale ?

— Il vaudrait peut-être mieux que je m'arrête ici, dit Robin d'un air piteux. Le pire est à venir.

— Laurie a appris ce qui s'était passé ? demandai-je.

— Comment as-tu deviné ?

Il baissa les yeux.

— Ce n'était tout de même pas un grand secret. Laurie était la seule d'entre nous qui n'était pas au courant de toute l'histoire, mais elle avait beaucoup d'ennuis chez elle. De plus, elle était très amoureuse de Bobby.

Je me rappelai le désespoir de Bobby, que Laurie avait quitté sans explication. Du jour au lendemain, elle avait disparu.

— Tu penses que Bobby est une brute, dis-je lentement.

— Bien sûr que je le pense.

Robin était surpris.

— Tu le connais. Tu l'as déjà rencontré.

— Il n'est pas bien méchant, dis-je en détournant les yeux, mal à l'aise.

— Je crois que Laurie sortait avec lui pour contrarier sa mère, avança Robin. Madame Jacques détestait Bobby. Elle criait toujours et traitait Laurie de tous les noms. Laurie était désespérée. Mais il y avait encore autre chose…

Il hésita.

— Vous ne pouviez pas faire confiance à Laurie parce qu'elle était très troublée.

Il haussa les épaules.

— Nous nous sommes simplement dit qu'elle avait suffisamment de problèmes. Pourquoi lui donner une autre raison de se faire du mauvais sang ?

J'avalai ma salive.

— Continue. Que s'est-il passé ?

— C'était le 26, commença-t-il tristement.

— Quelques jours avant que je déménage.

— Je crois, oui.

Je me souvenais de la surprise des autres quand Robin leur avait dit qu'il m'avait invitée à *La Pâte à choux*. Ils devaient vouloir discuter ensemble. Avec le recul, je comprenais leur nervosité extrême, ce jour-là. Le plus étonnant, c'est qu'ils avaient réussi à faire comme si de rien n'était.

Robin leva la tête et regarda les canards qui glissaient sur l'étang. Un demi-cercle de lumière luisait dans ses pupilles et lui donnait un air étrange et absent.

— Il faisait très beau ce jour-là, dit-il. Le ciel était tout à fait clair. Le soleil brillait. On a décidé d'aller faire un pique-nique à la Cime. Laurie est montée avec moi dans la Corvette.

Mon pouls était très rapide. J'eus soudain peur de ce qu'il allait dire.

Il jeta un coup d'œil vers moi.

— Un policier m'a donné une contravention. Laurie était étonnée que je ne sois pas furieux. Elle n'arrêtait pas de dire que ma prime d'assurance augmenterait. Elle m'a dit que c'était surprenant que je n'aie pas encore perdu mon permis.

Robin se frotta le nez.

— Elle était toujours très tendue.

— Mais tu ne lui as rien dit à propos de ton petit secret.

— Non, je n'étais pas fou à ce point.

Il eut une hésitation.

— Je ne sais pas. Peut-être que j'aurais dû dire quelque chose, après tout, parce qu'en me voyant silencieux elle est devenue presque hystérique. Elle était déchaînée quand on s'est installés pour pique-niquer. J'ai commencé à déballer le repas, mais Laurie s'acharnait sur moi. Elle avait le sentiment que quelque chose lui échappait et elle ne me lâchait pas. J'ai fait la sourde oreille, mais Rémi...

Il s'arrêta tout à coup.

En retenant mon souffle, je le dévisageai en attendant qu'il poursuive.

— Rémi n'a pas pu s'empêcher de se vanter, dit-il enfin.

— Alors il lui a dit qu'il avait modifié ton dossier. Il a dû lui dire aussi qu'il avait changé la note de Stéphane.

— Ouais. Il lui a même demandé ce qu'il pouvait faire pour elle! Il voulait se rendre intéressant, continua Robin avec amertume. Il était incapable de s'arrêter. Bien sûr, il ignorait que Laurie réagirait aussi mal. J'ai pensé à ce qui s'est passé des centaines de fois depuis. On a tous été surpris de la voir aussi nerveuse. Elle se comportait comme si nous étions les criminels les plus recherchés en Amérique du Nord. Je ne pouvais comprendre pourquoi elle réagissait ainsi. Je me demande si elle n'était pas furieuse de voir qu'on pouvait résoudre nos problèmes à l'aide d'un ordinateur alors qu'elle croulait sous les ennuis.

Il eut un geste d'impuissance.

— Alors, qu'est-il arrivé? dis-je.

— C'était un accident, en fait. Tu sais, Stéphane est plutôt soupe au lait.

Il fit une pause, gêné.

Je me souvenais comme si c'était hier de Rémi taquinant Stéphane à propos de son tempérament fougueux. Stéphane était devenu tout pâle.

Robin me jeta un regard et continua.

— Quand Laurie s'est mise à le menacer de tout révéler pour qu'il n'obtienne jamais de bourse et n'aille jamais au collège Saint-Mathieu, il est devenu furieux. Ils ont commencé à se bousculer. Nous étions tous tellement surpris que nous n'avons pas remarqué à quel point ils étaient près de la falaise. Et tout à coup, le sol s'est effondré ; Laurie a perdu l'équilibre et est tombée dans le vide.

Le visage de Robin avait perdu toute couleur.

— C'était terrible. Stéphane a crié : «Laurie ?» d'un ton incrédule, n'ayant jamais pensé qu'elle pouvait tomber. Parfois j'entends encore son cri quand j'essaie de m'endormir, le soir.

Il secoua la tête comme s'il voulait chasser ce souvenir de sa mémoire.

— Puis il a fait un geste pour essayer de la rattraper. Vanessa s'est alors jetée sur lui et est devenue hystérique. Nous pensions tous encore que Laurie n'aurait qu'un bras cassé ou quelque chose comme ça. On ne voyait pas très bien d'où nous étions et personne n'osait s'aventurer trop près du bord qui n'était pas bien solide.

Il haussa les épaules d'un air désespéré.

— On a tous sauté dans la voiture de Stéphane et on a roulé jusqu'au stationnement près des chutes. Pour ma part, je croyais encore qu'elle allait surgir de derrière un buisson en criant «coucou !».

Robin était très troublé.

— Tu sais, c'est très difficile de penser qu'une personne est morte quand on l'a vue vivante quelques minutes auparavant.

— Vous l'avez trouvée ?

— Oui. Le niveau de la rivière était si bas que

tous les rochers étaient à sec. Sinon, l'eau aurait peut-être amorti sa chute.

Il fronça les sourcils.

— Bien sûr, c'était toute une chute. Mais quelquefois on entend parler de gens qui ont sauté du pont Golden Gate et sont encore vivants.

— Pas souvent.

— Non. Mais il était encore possible que Laurie soit vivante. Nous avons longé la berge et nous l'avons repérée ; elle était étendue de tout son long sur le lit de la rivière. Nous avons marché jusqu'à elle, en pataugeant et en hurlant son nom.

Je me rappelai les nausées et le malaise de Vanessa quand elle se demandait de quoi se nourrissaient les écrevisses. Combien elle devait être hantée par le souvenir du corps meurtri et inerte de Laurie gisant sur les rochers !

— Elle était morte. Elle avait le cou cassé, sans parler de plusieurs graves blessures internes.

Il retira un mouchoir de sa poche et s'épongea les lèvres.

— J'ai passé mes mains sous ses bras et Stéphane l'a saisie par les jambes ; nous l'avons transportée sur la rive. Voilà comment j'ai su qu'elle avait le cou cassé. Il... n'était pas droit.

Il hésita.

— Bien entendu, on était tous en état de choc. Je me suis demandé plusieurs fois depuis si nous aurions mieux fait de la laisser là et de partir. On aurait pu croire qu'il s'agissait d'un suicide.

Il plia le mouchoir avec soin et le remit dans sa poche.

— Mais on ne pouvait pas penser à ça. On était incapables de faire ça. C'était une amie d'enfance. On n'aurait jamais pu la laisser là, sur les rochers.

— Mais c'était un accident…

Robin secoua la tête.

— Nous aurions pu courir le risque de tout raconter à la police. Nous aurions pu la laisser où elle était pour que l'on croie à un suicide. Nous aurions pu faire bien des choses, sauf ce que nous avons fait. Mais nous avions peur. Quelques minutes auparavant, Laurie nous avait traités de criminels! Vanessa, qui était devenue extrêmement lucide — probablement une montée d'adrénaline —, nous a fait remarquer que, s'il y avait enquête, la police pourrait découvrir que trois d'entre nous avaient un motif pour la tuer.

— Trois d'entre vous?

— Réfléchis: Stéphane, Rémi et moi. Vanessa aussi, si l'on considère qu'elle ferait n'importe quoi pour protéger Stéphane — et elle le ferait. La seule raison pour laquelle on ne s'est pas fait prendre en modifiant mon dossier et les notes de Stéphane, c'est que personne ne nous surveille. On ne s'attend pas à voir des élèves de secondaire faire des coups pareils. Nous sommes apparemment trop occupés à faire nos devoirs ou pas assez intelligents.

Il sourit faiblement.

— Si les policiers avaient mené une enquête en

considérant que Laurie avait été assassinée, ils auraient probablement découvert nos manigances. Il était tout à fait possible que nous soyons reconnus coupables de meurtre. J'imagine les manchettes : «Quatre jeunes génies de l'informatique assassinent une camarade de classe».

— Alors, qu'est-ce que vous avez fait ?

— Nous l'avons retirée de l'eau. Nous avons tâté son pouls en espérant qu'elle se mettrait à respirer, mais elle avait dû mourir sur le coup. Nous avons paniqué.

Il hocha la tête.

— Nous étions venus faire un pique-nique et nous nous retrouvions avec un cadavre sur les bras.

— Je suppose qu'il a fallu que vous retourniez chercher vos affaires.

— C'est Vanessa qui y a pensé. Crois-moi, c'était la dernière chose que j'avais en tête. Mais tu as raison. Nous avons dû remonter là-haut et tout nettoyer pour ne laisser aucune trace de notre pique-nique. Depuis ce jour-là, les crevettes épicées cuites à la vapeur ne me disent plus rien.

Je me rappelais avoir vu Vanessa repousser des crevettes qu'on lui avait apportées par accident au restaurant. C'était l'une de ces nombreuses petites choses sur lesquelles j'avais fermé les yeux.

— Le plus difficile était à venir, poursuivit Robin. Il fallait rentrer chez nous et nous comporter normalement. Quand la mère de Laurie a téléphoné pour savoir si nous avions vu sa fille, il fallait être calmes et faire comme si de rien n'était. Mais nous étions abattus. Surtout lorsque les policiers sont venus nous interroger. Quand tu en as autant sur la conscience, le seul fait de voir arriver deux policiers en uniforme peut suffire à t'achever. Lorsqu'ils m'ont questionné, j'avais l'impression désagréable de bredouiller. Je devais avoir l'air d'un coupable.

— Ça doit être difficile de parler à la police, dis-je.

J'avais les lèvres engourdies. «Et la mère de Laurie? pensai-je. Et Bobby? Ils étaient tous les deux morts de chagrin depuis la disparition de Laurie.» Il fallait que je me dise sans arrêt que Robin et les autres avaient été terrifiés. Voilà pourquoi ils n'avaient pensé qu'à leur survie. C'était une réaction tout à fait humaine.

— La première chose qui est venue à l'esprit de la mère de Laurie, dit Robin, c'est qu'elle s'était suicidée. Elle pleurait souvent et semblait bouleversée. Nous n'avions pas pensé que, si on l'avait laissée là où elle se trouvait, tout le monde aurait cru à un suicide. Bien entendu, il restait alors à expliquer comment elle s'était rendue à la Cime, puisqu'elle n'avait pas de voiture.

— C'est aussi bien comme ça, dis-je. Sinon, vous auriez dû vous débarrasser de l'auto pour faire croire qu'elle s'était enfuie.

Je constatai avec surprise que je pensais comme Robin et les autres.

— C'est exact. Et il a fallu le faire.

J'eus la désagréable impression que je ne pourrais plus revenir en arrière. Je ne me contentais plus de juger mes amis. Inconsciemment, je m'étais peu à peu rangée du côté de Robin. Je ne savais pas comment, mais il s'était passé quelque chose d'une importance vitale.

— Tu comprends qu'il était absolument essentiel que nous nous débarrassions de la police, continua Robin. C'était très pénible de voir les plongeurs faire leurs recherches dans le lac derrière l'école.

— Ça ne devait pas être bien difficile de simuler l'inquiétude, dis-je.

— Non.

Robin avala un verre d'eau.

— Mais on en arrive à ne plus savoir ce qui est naturel; on est tellement mal à l'aise. Chaque respiration devient pénible. On ne se rappelle plus comment les gens normaux avalent ou à quelle vitesse ils battent des paupières. Ce fut pire quand on ne la retrouva pas dans le lac et que les policiers nous interrogèrent de nouveau. Chacun d'entre nous craignait que l'autre craque et raconte tout. Nous étions de vrais paquets de nerfs. Si l'un de nous flanchait, nous nous retrouvions tous en prison. Il fallait nous débarrasser de la police. C'est pourquoi on a décidé que Laurie écrirait à sa mère.

Robin appuya les coudes sur ses genoux d'un air las, laissant pendre les mains entre ses jambes.

Mon regard fut attiré par ses longs doigts minces. Je savais que les autres avaient dû compter sur lui. En y pensant bien, je compris que Stéphane et

Vanessa étaient sur le point de flancher depuis plusieurs semaines. La remarque de Vanessa le premier jour à *La Pâte à choux* — «Tous pour un et un pour tous!» — était sûrement un signe de détresse. Elle devait souhaiter à tout prix que la bande se serre les coudes.

— Ça n'a pas été trop difficile, dit Robin, puisque personne ne pensait sérieusement que Laurie avait été tuée. La police n'a donc pas vérifié l'authenticité de la lettre. Tout le monde a cru qu'elle venait d'elle. Je l'ai dactylographiée avec une vieille machine à écrire que j'ai trouvée dans notre garage, puis j'ai imité la signature de Laurie provenant d'une carte de Noël qu'elle m'avait offerte. J'ai dû faire l'exercice plusieurs fois, mais le résultat final était assez bon pour tromper tout le monde.

— Sa mère a sûrement été très soulagée d'avoir de ses nouvelles, dis-je sèchement.

Robin inspira profondément.

— Je ne prétends pas que nous méritons une médaille, mais souviens-toi que nous étions terrorisés. Il fallait faire quelque chose pour nous débarrasser de la police. Tu te souviens, j'ai dû partir tôt le jour de notre première sortie ensemble à *La Pâte à choux*.

Je fis oui de la tête.

— J'ai dû rouler jusqu'à Montréal pour y poster la lettre.

Je me souvenais du départ précipité de Robin ce jour-là. Vanessa l'avait regardé s'éloigner d'un air angoissé.

— Bien sûr, j'ai dû faire attention de ne pas avoir de contravention, dit Robin. Ma voiture étant la plus fiable et la plus rapide, c'était normal que ce soit moi qui m'en charge. J'ai tenté de faire comme si c'était une journée comme les autres. J'ai fait l'aller-retour en cinq heures. Je ne me suis arrêté que pour mettre de l'essence. Ainsi, personne n'a remarqué mon absence.

Je me rappelais avoir été stupéfaite par le nombre de kilomètres qui s'étaient ajoutés à l'odomètre de sa voiture.

— Tu m'avais donc invitée à *La Pâte à choux* pour avoir un témoin impartial de cette journée comme les autres ?

— Non.

Il effleura mon bras de son doigt.

— Voyons, Annick. Tu sais bien que ça ne s'est pas passé comme ça. C'est un tel soulagement de pouvoir tout t'avouer. Bien souvent j'ai voulu tout te dire, mais je ne voulais pas te mêler à cette histoire.

J'avalai ma salive.

— Une fois la lettre postée, vos ennuis étaient terminés, non ?

— Pas tout à fait, répondit Robin d'un air triste. Nous n'avions pas pensé à tout. Nous avions laissé le corps de Laurie sur la berge tandis qu'on se demandait ce qu'on allait faire. Les chutes étaient à sec et, comme la température n'était pas encore très douce, peu de gens venaient au parc. Son corps était

assez bien caché, dans les buissons. Mais nous ne l'-
avions pas planifié. C'était par hasard, c'est tout.

Il haussa les épaules.

— Puis on s'est dit que lorsque son corps serait
découvert, personne ne nous soupçonnerait car on
ne pourrait pas déterminer exactement le moment
de sa mort. Mais quand certains élèves ont commencé à nous demander si nous avions des droits
sur la table à pique-nique de la Cime, Stéphane a
paniqué. Si on retrouvait Laurie trop tôt, la nature
de ses blessures prouverait qu'elle était tombée de
la Cime. D'après Stéphane, cela faisait de nous les
suspects numéro un. À cause des pluies diluviennes
et des inondations qui s'annonçaient ces jours-là,
c'était presque certain qu'on la retrouverait bientôt.
On risquait même que les crues de la rivière l'em-
portent. Laurie se trouvait tout près de l'endroit où
deux gars ont chaviré en canot. À ce moment-là, il
y avait des policiers et des équipes de secours partout aux alentours du corps.

Je me souvenais de la panique de Stéphane et de
Vanessa à l'idée que la rivière sorte de son lit.

— Mais ils ne l'ont pas trouvée, n'est-ce pas ?

J'étais déconcertée.

Robin se mordilla la lèvre durant une seconde,
puis continua.

— Non. Parce qu'on l'a déplacée.

— Vous l'avez déplacée ? répétai-je stupidement.

— Ç'a été le pire.

— C'est pour ça que Stéphane a acheté les trois paires de gants de caoutchouc? demandai-je lentement.

— Ouais.

J'eus un haut-le-cœur. Ces cauchemars où je voyais ces gants jaunes s'animer... Dans mon subconscient, je devais *savoir* que ces trois paires de gants de caoutchouc étaient destinées à quelque macabre tâche. Personne n'a besoin de trois paires de gants pour décaper un meuble. Le visage blême de Stéphane dansait devant mes yeux. Il avait été ébranlé quand j'étais entrée dans la pharmacie ce soir-là. Je comprenais maintenant l'origine de sa panique.

Robin poursuivit.

— Nous sommes descendus au bord de la rivière avec des lampes de poche, ce qui était dangereux à cause du niveau élevé de l'eau. Nous avons enroulé son corps dans une grande toile de plastique et l'avons déposé dans le coffre de la voiture de Stéphane.

— C'est pour ça qu'il a mis le feu à sa voiture?

Robin fit oui de la tête.

— Il était en train de devenir fou en songeant qu'on trouverait des traces du corps dans le coffre si les experts en médecine légale venaient à le fouiller. On a donc décidé de le détruire complètement. Mais il fallait que ça ait l'air d'un accident, bien sûr.

Je me rappelais que nous étions allés au chalet

durant la fin de semaine où la rivière avait débordé. Robin avait eu un fou rire lorsque Rémi s'était porté à la défense de l'ordre public. Stéphane était arrivé et s'était effondré sur le canapé, faible et nauséeux, pendant que Vanessa l'observait d'un œil inquiet. Pas surprenant qu'il se soit remis aussi vite de la « grippe ». Il n'avait pas souffert de la grippe du tout ; il était plutôt complètement écœuré après s'être acquitté de sa terrible tâche : déplacer le corps de Laurie.

— L'important, expliqua Robin, c'était de transporter le corps dans un endroit sûr. Si tu réfléchis une minute, tu verras comme c'est difficile de trouver un tel endroit.

Je me rendis compte que Robin cachait toujours autant ses émotions. Il prononçait chaque mot avec un calme artificiel, comme s'il était en train de résoudre un problème de mathématiques.

— Par chance, continua-t-il, Vanessa eut l'idée de se procurer une carte qui indique où se trouvent presque tous les arbres et les cailloux d'une région. Elle a photocopié l'original à la bibliothèque et a laissé la copie dans la voiture de Stéphane le soir où elle a brûlé. Voilà comment on a choisi l'endroit où cacher le corps de Laurie. Nous avons roulé sur un petit chemin dans la forêt — il était envahi par l'herbe et nous avons eu de la chance de nous rendre à destination sans abîmer la voiture. Nous avons transporté Laurie dans un boisé et avons déroulé la toile pour la déposer sur le sol. Puis nous avons couvert son corps d'aiguilles de pin et de feuilles.

J'essuyai mes paumes moites sur le couvre-lit.

— Si Stéphane voulait déplacer le corps, je ne vois pas pourquoi Vanessa et Stéphane ne l'ont pas fait eux-mêmes, dis-je. Il n'y avait pas de raison pour que tu t'en mêles.

— Tous pour un et un pour tous, dit-il.

Il détourna le regard. Malgré tout, en voyant le muscle de sa mâchoire tressaillir, je compris sa détresse. Sa passion incontrôlée pour la vitesse et sa loyauté envers ses amis le menaient peu à peu à sa perte. Il n'avait pas hésité à protéger ses amis. Comment aurais-je pu le condamner? Je l'aimais. Et j'avais désespérément besoin de lui.

— C'est moi qui ai le cœur le plus solide, poursuivit Robin lentement. Nous avions peur que Stéphane perde connaissance au moment de déplacer le corps. Qu'aurait pu faire Vanessa toute seule? Il avait fait plutôt froid, mais le corps était à découvert et Laurie avait...

Il parut mal à l'aise.

— ... amolli.

La sonnette retentit, et je me tournai vers Robin, affolée.

Vingt-deux

Cher journal,

Voilà, je suis dans le coup maintenant. Je suis une des leurs. C'est ce que je voulais, n'est-ce pas? Partager des secrets avec mon copain et ses amis. Mais je ne pensais pas que ce serait comme ça...

Stéphane et Vanessa firent irruption dans la pièce, le sourire aux lèvres. Vanessa avait dans les mains un bocal de liquide jaunâtre et laiteux. Stéphane rejeta ses cheveux en arrière et renifla bruyamment. Il tenait avec précaution une cocotte couverte de buée et s'efforçait de ne pas laisser tomber le régime de bananes qui reposait sur le couvercle.

— Où peut-on poser ça? demanda Vanessa. Le tapioca doit être réfrigéré. Il y a tout ce qu'il faut pour te remettre sur pied, ma chère : du bouillon de poulet, du tapioca et des bananes. Ça se digère facilement. C'est de la nourriture pour les malades.

— Apportons tout ça dans la cuisine, se hâta de répondre Robin.

— Tu as une mine terrible, observa Vanessa en m'examinant. On dirait que tu as vu un fantôme.

Elle posa le bocal de bouillon de poulet sur le téléviseur.

— Je croyais que tu irais déjà mieux. As-tu encore de la fièvre ?

Je suppose que l'horreur se lisait sur mon visage. Je ne parlai pas et fixai Vanessa et Stéphane tour à tour. Vanessa devint toute pâle et avala sa salive avec difficulté.

— Tu n'as pas fait ça, Robin.

Robin haussa les épaules.

— Elle a deviné.

Le régime de bananes tomba sur le plancher. Stéphane se figea, la cocotte toujours dans les mains.

— Pose ça, Stéphane, dit brusquement Vanessa.

Il déposa doucement la cocotte sur le sol.

— Je crois que je vais perdre connaissance.

— Assieds-toi, alors, dit Vanessa.

Il s'assit en tailleur derrière la cocotte.

— C'est vrai ?

Il me dévisagea sans ciller.

— Tu as vraiment deviné ?

J'acquiesçai.

— Merde ! s'écria Stéphane. Tout le monde doit le savoir.

— Calme-toi ! ordonna Robin. Tout va bien.

— Bien sûr, dis-je faiblement. De plus, ce qui est fait est fait.

— C'était un accident, dit Stéphane, le regard implorant.

278

— Je le sais, dis-je.

Cependant, le doute m'envahit.

— Bien sûr que c'était un accident, dis-je. C'est bel et bien fini.

— Tu comprends maintenant pourquoi on a eu si peur quand Rémi a commencé à fréquenter Kim, expliqua Stéphane. Vanessa craignait qu'il cherche à se vanter, et crois-moi, on ne peut pas compter sur Kim pour garder un secret.

— C'est à ce moment que j'ai écrit à l'ambassade du Brésil, dit Robin. Tu vois, on s'est dit qu'il fallait trouver un endroit où nous réfugier si Rémi lâchait le morceau. Ça semble tout à fait stupide, mais on a paniqué. Du jour au lendemain, Rémi a commencé à fréquenter une fille peu recommandable. Ensuite, tu m'apprends qu'il est ivre et qu'il raconte à qui veut bien l'entendre qu'il a eu accès à des tas d'ordinateurs, dont celui de la NASA. Et si quelqu'un avait alerté la police ?

— Robin n'avait toujours pas eu de nouvelles de l'ambassade du Brésil, dit Vanessa, et ce, même s'il avait tout envoyé par courrier exprès. Nous sommes donc partis. Notre plan consistait à nous présenter à l'ambassade lundi matin pour savoir si on nous accordait un permis de travail. Si tout s'était déroulé comme prévu, nous aurions pu prendre le premier vol et quitter le pays immédiatement. Mais, comme tu le sais, on a pas obtenu de permis.

— Je me serais sentie seule ici, sans vous, dis-je avec mélancolie.

Vanessa m'adressa un sourire éclatant.

Robin me serra la main.

— Ne t'en fais pas, on ne t'abandonnera jamais, dit-il.

Un clan très fermé, avait dit Sophie, sans se douter à quel point elle avait raison. Maintenant, j'en faisais incontestablement partie, liée non seulement par l'amitié, mais également par le secret. Comment arriverais-je à regarder encore Bobby dans les yeux, maintenant que je savais ? Pourtant, je sentais que je pouvais y parvenir. J'allais réussir parce qu'il le fallait.

Robin m'embrassa.

— Prends garde, dit Stéphane. Tu pourrais attraper le virus.

Robin sourit.

— Annick et moi partageons tout.

Je serrai sa main très fort.

— Je t'aime, murmura Robin à mon oreille.

Sa main était chaude dans la mienne. Je fermai à moitié les yeux et vis Vanessa et Stéphane se fondre dans les tons pastel des fleurs, du printemps et du soleil. Dehors, j'entendis le bruit d'un héron qui se pose sur l'eau, suivi de son cri rauque et solitaire.

Épilogue

Cher journal,

J'avais cru qu'il s'agissait de la fin de l'histoire, mais ce n'était que le début. Une image me revenait sans cesse. Une fille tombait en battant l'air de ses bras, la bouche ouverte, les yeux pleins de frayeur. Sa chute durait longtemps. Puis, dans un grand bruit, elle heurtait les rochers sur le lit de la rivière et son cou pliait.

J'ai souvent remâché le passé depuis cet après-midi-là. Je me suis demandé de nombreuses fois si cette histoire aurait pu tourner autrement ; mais j'ai eu beau essayer, je ne peux penser à aucune autre conclusion. Aurais-je pu m'éloigner de Robin ? Aurais-je pu refuser d'être mêlée à cette affaire ? Aurais-je pu, même, les dénoncer tous les quatre à la police ?

Non, je ne pouvais pas faire ça. J'aimais Robin.

Et avec l'image de la mort de Laurie qui persistait dans ma mémoire, une autre scène vint me hanter : Stéphane dessinant trois cercles concentriques sur la porte de la vieille remise du chalet. Le plus petit cercle, hachuré au crayon noir pour en faire le centre de la cible, attira mon attention, comme s'il détenait le secret de mon avenir.

Super FRISSONS

Annick n'aurait jamais cru
que l'amour pouvait être
aussi dangereux.

JOURNAL
Intime

TOME II LA TRAHISON

Annick voulait Robin. Elle voulait être la seule dans son cœur, la seule à partager ses secrets. Mais jamais elle n'aurait pu imaginer l'horrible vérité: le garçon de ses rêves et ses amis étaient responsables de la mort de Laurie Jacques.

À présent, Annick se sent autant coupable que ses nouveaux amis. Ensemble, ils ont commis un autre crime: ils ont camouflé la mort de Laurie. Mais leur plan n'est pas à toute épreuve. Car l'un d'eux parle, l'un d'eux fait chanter la bande… l'un d'eux va disparaître à son tour.

La première fois, il s'agissait peut-être d'un accident… mais, cette fois-ci, ça pourrait être un meurtre…

Annick en a-t-elle trop dit à son journal ?

JOURNAL Intime

TOME III LA FUITE

Quelqu'un savait la vérité à propos de « l'accident » qui avait coûté la vie à Laurie Jacques et il savait aussi que toute la bande avait décidé de camoufler sa mort. Il est mort maintenant, victime d'un autre « accident » tragique. Si Annick ne fait pas attention, elle pourrait bien être la prochaine victime…

Annick jure à ses amis qu'elle ne révélera jamais leur secret. Mais quelqu'un lui a volé son journal — le fidèle ami à qui elle a fait part de ses soupçons à propos de ce qui a vraiment pu arriver à Laurie. Si cette personne parvient à déchiffrer le code dans le journal d'Annick, ce sera la fin. Robin est le seul en qui elle peut avoir confiance, mais leur amour sera-t-il assez fort pour arrêter le meurtrier ?